人事労務の法律問題
対応の指針と手順

第2版

外苑法律事務所　弁護士
佐藤久文 著

商事法務

第2版はしがき

　本書は、企業が人事労務の法律問題に対処するための実務マニュアルです。重要な法律、通達、ガイドラインおよび判例を数多く紹介してありますが、それらの解説は必要最小限にとどめ、その代わりに、企業が人事労務問題に直面した際の対処の方法や手順をできるだけ具体的に解説するよう努めました。

　また、改訂版は、以下のとおり内容を大幅に追加しましたので、人事労務の法律問題全般（コロナ禍による社会変動後の新しい法律問題を含む）に対応できるはずです。

① 初版以降の法律改正等
　　民法、労働基準法、パートタイム・有期雇用労働法、パワハラ防止法等
② コロナ禍の社会変動後に重要性が高まった法律問題
　　経営状態の悪化（休業、労働条件の不利益変更、内定取消し、整理解雇等）や在宅勤務に伴う法律問題
③ 初版以降に登場した重要判例
　　同一労働同一賃金、有期雇用契約の更新、固定残業代、グループ会社において子会社の従業員から内部通報を受けた親会社の責任等に関する最高裁判例その他の下級審重要判例
④ 近時法律相談が増加している事項
　　従業員の個人情報を取得する際の注意点、メンタルヘルス不調の防止策等

　本書を活用していただくことで、企業の正当な利益が守られるこ

と、ひいては、その企業の労働者の権利が守られることを願っています。本書が人事労務における正義の実現にささやかなりとも寄与できれば幸いです。

　最後になりますが、改訂版の刊行に際して、商事法務の渡部邦夫様、澁谷禎之様から多大なご協力をいただきました。心から御礼申し上げます。

　令和3年3月

弁護士　佐藤久文

初版はしがき

　近時、労働関係法やガイドラインの整備が進み、会社の法令遵守の意識は急速に高まっていますが、過労死、メンタルヘルス、ハラスメント等の深刻な人事労務問題はなくならず、むしろ増えています。

　これらの人事労務問題に直面した場合に適切に対応できる会社は多くはありません。対応の誤りが原因で、従業員との間で紛争が生じ、場合によっては、行政指導を受けたり、訴訟で負けてしまったりと、深刻な事態に至る事例を目にすることも少なくありません。

　本書は、このような事態を回避する目的で執筆した人事労務問題対応マニュアルです。労働関係法の概念や法律知識の解説は必要最小限度にとどめ、実務で生じる典型的な事例ごとに対応の指針と手順を解説することに重点を置きました。

　マニュアルとして使い勝手を高めるため、懲戒処分の相場感、地域型労働組合との団体交渉への対応、労働基準監督署への対応等、これまでの書籍であまり触れられることのなかった事項についても解説しました。また、人事労務担当者として知っておくべき労働関係法に関する基本的知識、人事労務問題に対応する際の心構え、弁護士の活用方法、実務でよく用いる書面の書式例等、人事労務問題へ対応する際に必要な事項を網羅的に解説してありますので、これ1冊で大抵の人事労務問題には対応できるはずです。

　本書は、人事労務問題対応マニュアルですので、基本的には人事労務担当者に活用していただくことを想定していますが、最新の判例、通達、ガイドラインをふまえて解説してありますので、弁護士が法律相談を受ける際にも活用していただけると思います。

本書が、人事労務問題へ対応する際に活用され、人事労務における正義の実現にささやかなりとも寄与できれば幸いです。

　最後になりますが、本書の企画から刊行まできめ細かく配慮していただいた商事法務の岩佐智樹氏、小山秀之氏、水石曜一郎氏に、心から御礼申し上げます。

　平成30年7月

弁護士　佐藤久文

第1章　人事労務の担当者がまず知っておくべきこと

I　人事労務に関する法律　2

Q1　人事労務に関する法律（労働関係法）を理解するためのポイントを教えてください。　2

Q2　人事労務に関係する法律にはどのようなものがありますか。また、最低限どのようなことを知っておくべきですか。　4

Q3　雇用契約書、就業規則、労働協約に関して理解しておくべき基本的な事項を教えてください。　7

II　人事労務を担当する場合の心構え　11

Q4　人事労務を担当することになりました。どのようなことを心がければよいですか。　11

Q5　弁護士から、「人事労務に関する紛争は訴訟になる前に解決した方がよい」といわれました。どうしてですか。不当な要求にはどのように対応すればよいですか。　14

III　初動対応　16

Q6　人事労務に関する相談を受けました。初動対応を教えてください。　16

Q7　弁護士に相談した方がよい案件の種類および弁護士に相談すべきタイミングを教えてください。　19

Q8　弁護士に法律相談する場合に、どのような資料を準備すればよいですか。　21

第2章　労働契約の締結

I　労働契約の締結　24

Q1　労働契約を締結する際の注意点を教えてください。　24

> 書式：入社誓約書　28
> 書式：身元保証書　29

Ⅱ　採用内定　31

Q2　採用内定の取消しはどのような基準で認められますか。採用内々定の取消しの基準も同じですか。　31

> 書式：採用内定通知書　34

Q3　会社の経営状態の悪化を理由とした採用内定取消しは認められますか。採用内定取消しが無効となった場合の法律関係はどのようになりますか。　35

Ⅲ　試用期間　37

Q4　試用期間を設ける際に注意すべきことを教えてください。　37

Q5　試用期間中の従業員を試用期間満了時にやめてもらおうと思います。本採用拒否はどのような基準で判断されますか。また、判例の傾向を教えてください。　39

Q6　本採用拒否をする場合の注意点を教えてください。　42

第3章　労働時間、休日、賃金

Ⅰ　労働時間　46

Q1　労働時間についての基本的ルールを教えてください。　46

Q2　労働時間とはどのような時間を意味しますか。また、以下の時間は労働時間に該当しますか。①始業前の準備作業や終業後の後片付けの時間、②時間外労働を禁止しているにもかかわらず従業員が行った場合、③持ち帰り残業、④移動時間、⑤研修の参加　50

Ⅱ　休憩　54

Q3　休憩時間についての基本的ルールを教えてください。また、

休憩時間と手待時間の違いを教えてください。 54

Ⅲ 休日 56
Q4 休日についての基本的ルールを教えてください。 56

Ⅳ 賃金 58
Q5 賃金額についての基本的ルールを教えてください。 58
Q6 当社は時間外手当として固定額の残業手当を支払っていますが問題はありますか。 61
Q7 会社として時間外手当を減らしたいのですが、どのような方法がありますか。 65
Q8 賃金の支払方法等に関する基本的なルールを教えてください。 66
Q9 従業員に対して有する債権を賃金と相殺することはできますか。「先月分の給料の計算を間違い100円多く支払ってしまったので、今月分の給与から控除する」場合はどのように考えればよいですか。 70
Q10 時間外手当（割増賃金）の請求訴訟において労働時間はどのように認定されるのですか。 71
Q11 管理職については割増賃金を支払わなくてもよいですか。 72

Ⅴ その他 75
Q12 コロナ禍に関連して従業員の出勤を控えさせようと思います。この場合、給与は通常通り支払わなければならないのでしょうか。 75
Q13 経営状態が苦しいので人件費を削減したいと考えていますが、どのような方法があるでしょうか。また、それぞれの方法を実施する際の注意点を教えてください。 79
Q14 時間外手当の支払いを怠った場合、会社はどのような責任を負いますか。会社の役員が責任を負う場合もありますか。 83

VI　賞与　86

Q15　賞与の基本的ルールを教えてください。　86

VII　有給休暇　88

Q16　有給休暇についての基本的なルールを教えてください。　88

第4章　人事権の行使

I　業務命令　92

Q1　業務命令はどのような場合に出すことができますか。従業員が業務命令に従わない場合にはどのような対応をすべきですか。　92

Q2　以下の業務命令は適法ですか。①女性社員にお茶くみを命ずる。②時間外労働を命ずる。③金髪をやめて、黒髪にするように命ずる。④始末書の提出を命ずる。⑤所持品検査を受けることを命ずる。　95

Q3　従業員の私用電話や電子メールを禁止することはできますか。また、電子メールをモニタリングすることはできますか。　98

Q4　どのような場合に出勤停止・自宅待機を命ずることができますか。　100

書式：自宅待機命令書　101

II　配転命令　102

Q5　配置転換（配転命令）はどのような場合に認められますか。　102

Q6　配転命令に伴い賃金が減額される場合には、そのような不利益を伴わない場合と比べて、特別に考慮しなければならないことはありますか。　108

Q7　職種限定の合意はどのような場合に認められますか。　109

Q8　勤務場所限定の合意はどのような場合に認められますか。　111

Q9 転勤を拒否した従業員に対してはどのような対応をとることができますか。 113

Ⅲ 出向・転籍命令 114

Q10 出向命令はどのような場合に認められますか。また、出向の取消しや出向期間の延期はどのような場合に認められますか。 114

Q11 転籍命令はどのような場合に認められますか。 117

書式：転籍同意書　117

Ⅳ 降格処分 119

Q12 人事処分としての降格の可否を考えるうえでの基本的な視点を教えてください。 119

Q13 人事処分としての降格のうち、役職や職位の引下げ（降職）に関する一般論と参考になる判例を教えてください。また、判例を分析して得られる実務上のポイントを教えてください。 121

Q14 人事処分としての降格のうち、職能資格制度上の資格の引下げに関する一般論と参考になる判例を教えてください。また、判例を分析して得られる実務上のポイントを教えてください。 126

Q15 人事処分としての降格のうち、職務・役割等級制度上の給与等級やグレードの引下げに関する一般論と参考になる判例を教えてください。また、判例を分析して得られる実務上のポイントを教えてください。 128

第5章　従業員にとって不利益な内容に労働条件を変更する

Ⅰ 個別同意等 134

Q1 従業員の労働条件を引き下げようと思いますが、どのような

x　目次

　　　方法がありますか。また、それぞれの方法のメリット・デメリットを教えてください。　134
Q2　労働条件の不利益変更を実施します。従業員から個別同意を取得しようと考えていますが、同意を取得する際に注意すべきことを教えてください。　137
　　　書式：労働条件変更に関する同意書　140
Q3　合意による労働条件の不利益変更が有効となるための要件について判例の考え方を教えてください。　141

II　就業規則の不利益変更　142

Q4　就業規則を従業員にとって不利益な内容に変更するにはどうすればよいですか。　142
　　　書式：就業規則の変更の説明書　144
　　　書式：就業規則変更の同意書　145
Q5　就業規則を変更して賃金を引き下げたいと思いますが、どのような要件を充足する必要があるのでしょうか。それぞれの要件を充足するためのポイントを教えてください。また、参考になる裁判例を教えてください。　146

第6章　普通解雇

I　普通解雇に関する一般的知識　152

Q1　普通解雇と懲戒解雇は何が違うのですか。普通解雇と懲戒解雇はどのように使い分けるのですか。　152
Q2　普通解雇が認められるための要件を教えてください。普通解雇の要件はどの程度厳格に判断されるのですか。判例の傾向を教えてください。　155
Q3　即戦力として中途採用した管理職や高度専門職の場合、一般の従業員と同じ程度に普通解雇の要件は厳格ですか。　158
Q4　普通解雇が無効になるのはどのような場合ですか。　159

Q5 普通解雇の手続に関して注意すべき点を教えてください。 161
書式：解雇通知書 162

Ⅱ 私傷病を理由とする普通解雇 163

Q6 私傷病を理由とする普通解雇はどのような場合に認められますか。 163

Ⅲ 能力不足・適格性の欠如を理由とする普通解雇 165

Q7 能力不足・適格性の欠如を理由とする普通解雇が認められるのはどのような場合ですか。参考になる判例も教えてください。 165

Q8 能力不足・適格性の欠如を理由とする解雇に関して実務上のポイントを教えてください。 169

Ⅳ 整理解雇 171

Q9 整理解雇はどのような場合に認められますか。 171

Q10 整理解雇について参考になる近時の判例を教えてください。 174

第7章 懲戒処分

Ⅰ 懲戒処分の一般的知識 178

Q1 懲戒処分をする際の一般的な注意事項を教えてください。 178

Q2 出向中の従業員に対しては、出向先と出向元どちらが懲戒処分をするべきですか。 181

Q3 不祥事を行った従業員の上司に対して懲戒処分をしようと考えていますが、何か問題はありますか。また、相場感を教えてください。 182

Q4 懲戒処分をする際の具体的な手順を教えてください。 183
書式：懲戒解雇通知書 184

Q5 懲戒処分を選択する際に考慮すべき事情を教えてください。また、懲戒処分と人事処分（降格等）を重ねてすることは可能ですか。 185

Q6 懲戒処分は社内で公表する必要がありますか。 188

Ⅱ 懲戒処分の種類 189

Q7 懲戒処分にはどのような種類がありますか。戒告またはけん責処分をする際の一般的な注意事項を教えてください。 189

Q8 減給処分をする際の注意事項を教えてください。 191

Q9 出勤停止をする際の注意事項を教えてください。 192

Ⅲ 各種事例における具体的対応と懲戒処分の相場感 193

Q10 遅刻や早退を繰り返す従業員に対してはどのような対応をすべきですか。 193

Q11 正当な理由がなく欠勤した従業員に対してはどのような対応をとるべきですか。また、懲戒処分の相場感と参考になる判例等を教えてください。 195

Q12 経歴詐称が発覚しました。解雇したいのですが認められますか。参考になる判例等を教えてください。 198

Q13 業務命令に従わない従業員に対してどのような対応をすべきですか。また、懲戒処分の相場感と参考になる判例を教えてください。 201

書式：業務命令違反に対する警告書 203

Q14 従業員が職務に関連して犯罪行為を行った場合どのような対応をすべきですか。また、懲戒処分の相場感・参考になる判例を教えてください。 205

Q15 業務と関係のない私生活上の犯罪行為について懲戒処分をすることができますか。また、懲戒処分の相場感と参考になる判例を教えてください。 209

Q16 以下の事案に関する懲戒処分の相場感と参考になる判例を教えてください。①通勤手当の不正取得、②兼職の禁止、③職務

中のインターネットやメール、④情報漏えい、⑤セクハラ、⑥パワハラ　212

Ⅳ　従業員が不法行為をした場合の対応　219

Q17　従業員が逮捕・勾留されました。どのように対応すればよいですか。　219

Q18　従業員が業務に関連して不法行為を行い、取引先に損害を与えてしまいました。どのように対応すればよいですか。　223

書式：求償債務の弁済に関する合意書　225

第8章　ハラスメント対応

Ⅰ　ハラスメントとは？　228

Q1　パワハラとはどのような行為を指すのですか。また、違法なパワハラに該当するかどうかをどのように判断すればよいですか。参考になる判例を教えてください。　228

Q2　パワハラに該当するかどうかを判断する際に参考になる判例を教えてください。また、判例の傾向と判例から学ぶ実務上のポイントを教えてください。　232

Q3　セクハラに該当するのはどのような行為ですか。セクハラに該当するか否かはどのように判断すればよいですか。参考になる判例を紹介してください。　236

Ⅱ　ハラスメントの防止と対応　238

Q4　会社はハラスメント対策を講ずる義務を負いますか。また、ハラスメント対策を講ずる場合のポイントを教えてください。　238

Q5　ハラスメントの申告があった場合の、初動対応を教えてください。また、参考になる判例を教えてください。　241

Q6　ハラスメント調査の際の事実認定の手法を教えてください。

244

Q7 ハラスメントの事実が確認されました。どのような対応をすべきですか。 249

Q8 ハラスメントの加害者である従業員は被害者に対してどのような責任を負うのですか。会社や代表取締役も責任を負うのですか。 251

Q9 グループ会社において親会社は子会社で生じたハラスメントに対して法的責任を負いますか。 254

Q10 ハラスメントに対する慰謝料の相場感を教えてください。また、慰謝料を検討するうえで参考になる判例を教えてください。 255

第9章　休職命令

I　休職命令とは？ 258

Q1 休職命令とはどのような制度ですか。また、休職はどのような場合に命ずることができますか。職種を限定して採用した場合に何か違いはありますか。 258

Q2 休職命令の可否を判断するうえで参考になる判例を教えてください。 261

Q3 就業規則で休職制度を設けている場合に、休職命令を出さずにいきなり解雇することはできますか。 262

Q4 会社は健康診断を実施する義務を負いますか。また、健康診断を受診しない従業員に対して懲戒処分をすることはできますか。健康診断の結果、要治療との診断がなされた従業員に対して会社はどのような措置を講ずるべきですか。 263

Q5 休職命令を出すまでの手順を教えてください。 265

書式：休職命令書　268

Q6 従業員の様子から心身の不調が疑われる場合、どのような対応をすればよいですか。 269

Ⅱ　休職期間中の法律問題　271

Q7　休職期間中の従業員に賃金を支払う必要はありますか。休職期間中は、従業員に対して連絡をとった方がよいのですか。　271

Q8　休業と休職はどのように異なるのですか。私傷病休職として取り扱っていた従業員について、労災認定がなされた場合にはどのような取扱いとなるのですか。　273

Q9　休職期間満了時に復職を認めるか、あるいは、解雇または自然退職にするかはどのような基準で判断すべきですか。判例をふまえた基準を教えてください。　275

Q10　復職を認める場合あるいは休職期間満了により退職・解雇とする場合は、それぞれどのような手順を踏む必要がありますか。　278

> 書式：トライアル勤務を行う際の確認書　281
> 書式：休職期間満了時の自然退職の通知書　282
> 書式：休職期間満了時の解雇通知書　283

第10章　退職・定年後

Ⅰ　自主退職　286

Q1　辞職と依願退職は何が違うのですか。退職勧奨に応じて退職する従業員からは、辞職届と退職願のどちらの書面を取得すればよいですか。　286

> 書式：辞職届　287
> 書式：退職願　288
> 書式：退職願に対する同意書　288

Ⅱ　定年退職　289

Q2　定年制を設ける際に注意すべき点を教えてください。　289

III 定年後継続雇用　291

Q3 60歳を超える労働者の雇用契約について、1年ごとの更新契約とするのはどうしてですか。　291

Q4 会社が継続雇用を拒否することができる場合はありますか。　292

Q5 定年退職後の従業員との間で1年更新の有期雇用契約を締結しようと考えていますが、労働条件を決める際に注意すべきことを教えてください。　293

IV 競業避止義務　296

Q6 従業員が退職します。退職後の競業行為を阻止したいのですが、何か有効な手段はありますか。　296

書式：退職時の誓約書　298

Q7 会社の元従業員が、退職後に当社の従業員の引抜きを繰り返しています。どのように対処するのがよいですか。　300

V 退職勧奨　301

Q8 退職勧奨をする際の注意点を教えてください。また、退職勧奨に関して参考になる判例を教えてください。　301

VI 退職金　304

Q9 退職金について基本的なルールを教えてください。　304

Q10 自己都合退職か会社都合退職かで退職金の額に差を設けることは可能ですか。自己都合退職か会社都合退職かはどのように区別するのですか。　306

Q11 懲戒解雇の場合に退職金を不支給とすることは可能ですか。また、退職金の不支給条項を規定する場合に注意すべき点はありますか。　307

第11章　労働災害

Ⅰ　労働災害に関する一般的知識　310

Q1　従業員が工事現場でけがをして死亡しました。どのように対応すればよいですか。従業員が自殺した場合はどうですか。　310

Ⅱ　労災保険　313

Q2　労災保険とはどのような制度ですか。　313

Ⅲ　過労死　314

Q3　過労死が発生しました。会社はどのような責任を負う可能性がありますか。　314

Q4　従業員の過労死を防止するための会社の安全配慮義務の具体的内容として判例ではどのような義務が認定されていますか。　316

Q5　過労死を原因として提起される訴訟にはどのようなものがありますか。また、訴訟類型ごとにどのような違いがありますか。　317

Q6　過労死が業務に起因するかどうか（業務起因性）はどのように判断すればよいですか。「心理的負荷による精神障害の認定基準」の使い方を教えてください。　318

Q7　精神疾患に起因する自殺の業務起因性に関する判例の傾向を教えてください。　321

Q8　過労死を防止するために、どのような方策を講じるべきですか。　323

Q9　「長時間労働に関する出来事」の発生を防止するための方策について教えてください。　326

Q10　業務上災害で休業している従業員に対しては、賃金を支払わなければなりませんか。また、休業が長期間に及んだ場合に、解雇をすることはできますか。　330

第 12 章　多様な労働契約

I　偽装請負　334

Q1　他社に自社の事業場における業務処理を委託する場合に注意することはありますか。また、業務委託先の従業員に対して会社が労務上の義務を負うことはありますか。　334

II　有期雇用等　336

Q2　有期契約社員やパートタイム社員とはどのような社員のことをいうのですか。　336

Q3　有期契約社員について契約の更新をせず、雇止めするつもりですが、何か問題はありますか。期間の途中で辞めてもらうことはできますか。　338

Q4　当社の有期契約社員に適用される就業規則には、「契約の更新をしない」という条項があります。契約どおりに更新拒絶をする場合に問題はありますか。また、契約更新の回数の上限を3回と定める規定がある場合はどうですか。　343

Q5　最初の1年を有期雇用契約として、その間に従業員の能力や適性を評価しようと思いますが、何か問題はありますか。　345

Q6　無期転換社員の労働条件について、有期雇用契約のときの労働条件を変更しても問題はありませんか。　347

Q7　有期契約社員について、「更新は65歳までとし、65歳以上は更新しない」旨の労働契約の効力について教えてください。　349

Q8　有期契約社員の労働条件について正社員と相違を設けることについて問題はありますか。　350

Q9　有期契約社員と正社員の労働条件の相違が不合理なものかどうかについて判例はどのように判断していますか。　354

III 在宅勤務　365

- **Q 10** 在宅勤務は実施しなければならないものなのでしょうか。実施するかどうかどのように判断すればよいのでしょうか。　365
- **Q 11** 在宅勤務を導入する場合、将来の人事労務紛争を予防する観点から特に注意すべき点を教えてください。　367
- **Q 12** 在宅勤務における労働時間の把握・管理について注意すべき点を教えてください。　369
- **Q 13** 在宅勤務の労働者の健康確保のためにどのような措置が必要ですか。　372
- **Q 14** 在宅勤務にあたってはこれまで企業の内部で保管していた営業秘密に該当する秘密情報の管理について注意すべき点を教えてください。　374

第13章　団体交渉

I 労働組合　378

- **Q 1** 当社には当社の従業員のみで組織する労働組合があります。それ以外の組合は労働組合法の適用を受けますか。　378
- **Q 2** 不当労働行為とはどのような行為ですか。会社が不当労働行為をした場合、どのような制裁を受けるのですか。　379

II 団体交渉　381

- **Q 3** 会社に○○ユニオンの執行委員と称する人がやってきて、「貴社の従業員Aが当組合に加入した。団体交渉を申し入れる」と告げられ、同時に、組合加入通知書兼団体交渉申入書を交付されました。どのように対応すべきですか。　381
- **Q 4** 団体交渉までの間にどのような準備をすればよいですか。　384
- **Q 5** 団体交渉のお作法を教えてください。　386

Q6 団体交渉で、不当な要求がなされた場合、どのように回答すればよいですか。 388

Q7 団体交渉はどのような場合に打ち切ってもよいですか。 389

Q8 組合が会社の前でのぼりをたててビラを配っています。どのように対応すればよいですか。取引先の周りでしつこく街宣活動をしている場合はどうですか。 390

第 14 章　労働基準監督署への対応

I　労働基準監督署の権限　394

Q1 労働基準監督署に突然立入り調査を求められました。協力しなければならないのですか。 394

II　労働基準監督署の調査への対応　395

Q2 労働基準監督署の調査はどのようなことがきっかけで実施されるのですか。調査の結果違反行為が発覚した場合にはどのようになるのですか。 395

Q3 労働基準監督署は定期監督でどのような事項を調査するのですか。 396

Q4 是正勧告を守ることができません。どうすればよいですか。 398

凡例

1 法令の略称

育児・介護休業法	育児休業、介護休業等育児又は家族介護を行う労働者の福祉に関する法律
高年齢者雇用安定法	高年齢者等の雇用の安定等に関する法律
雇用機会均等法	雇用の分野における男女の均等な機会及び待遇の確保等に関する法律
賃金支払確保法	賃金の支払の確保等に関する法律
パートタイム・有期雇用労働法	短時間労働者及び有期雇用労働者の雇用管理の改善等に関する法律
労災保険法	労働者災害補償保険法
労働者派遣法	労働者派遣事業の適正な運営の確保及び派遣労働者の保護等に関する法律

2 判例誌の略称

民集	最高裁判所民事判例集
刑集	最高裁判所刑事判例集
労民集	労働関係民事裁判例集
高民集	高等裁判所民事判例集
下民集	下級裁判所民事裁判例集
裁判集民	最高裁判所裁判集民事
裁時	裁判所時報
労判	労働判例
労経速	労働経済判例速報
判時	判例時報
判タ	判例タイムズ

第 1 章

人事労務の担当者が
まず知っておくべきこと

I 人事労務に関する法律

Q1 人事労務に関する法律（労働関係法）を理解するためのポイントを教えてください。

解説

1 従業員を保護するための法律であって、会社を保護するための法律ではない

　従業員と会社との間の、「貴社で働きます」、「Aを雇います（賃金を支払います）」という合意のことを労働契約といいます。

　会社と従業員が労働契約を結ぶ際に、どういう条件（賃金、勤務時間等）で働くのか（＝労働契約の内容）は、従業員と会社が自由に合意で決めることができるのが原則です（労働契約法3条1項、8条）。

　しかし、労働契約の内容を会社と従業員との合意で完全に自由に決めることができることとしてしまうと、会社よりも弱い立場にあることが多い従業員に一方的に不利な契約内容となってしまう可能性があります。人事労務に関する法律（労働関係法。Q2を参照してください）は、そうした事態にならないよう、一定のルールを設けて従業員を保護するために設けられた法律（＝会社を規制する法律）です。

　労働関係法は、従業員を保護するための法律であって、会社を保護するための法律ではないということをまず理解してください。

2 労働関係法には強行法規が多い

　一般法たる民法の場合、ほとんどの場面で法律よりも当事者間の合意が優先します（当事者が任意に法律と異なることを合意できる場合、この法律のことを「任意法規」といいます）ので、法律の知識がなくても当事者間できちんと合意をしておけば違法・無効になることはほとんどありません。しかし、労働関係法（とくに、労働基準法や労働安全衛生法）は、従業員を保護するための法律ですので、会社と従業員との間で、従業員にとって法律よりも不利な内容で合意した場合には違法・無効になってしまうことが少なくありません（このような法律のことを強行法規といいます）。しかも、労働関係法の場合、違法行為に対しては、行政指導（是正勧告）がなされ、刑事罰が科せられることがありますので、法律をきちんと理解していないと深刻な問題が生じかねません。

3 判例を分析しないと行為規範がわからない

　労働関係法の中で最も基本的な法律である労働契約法は、要件が抽象的で、法律の文言だけをみても、会社が具体的にはどのように行動すべきなのかがわからないことが少なくありません。たとえば、普通解雇については、労働契約法16条では、「解雇は、客観的に合理的な理由を欠き、社会通念上相当であると認められない場合は、その権利を濫用したものとして、無効とする。」と規定されていますが、「客観的に合理的な理由」や「社会通念上相当である」という文言が具体的に意味する内容はわかりません。

　労働関係法の文言が具体的に意味するところを理解し、会社が遵守すべき規範（＝行為規範）を理解するためには、蓄積された判例を分析し、その傾向を探るしか方法はありません。

Q2 人事労務に関係する法律にはどのようなものがありますか。また、最低限どのようなことを知っておくべきですか。

解説

「労働法」という言葉を用いることがありますが、「労働法」という名称の法律は存在しません。本書では、人事労務に関する法律のことを、便宜上、「労働関係法」と呼ぶことにします。

労働関係法は、たとえば、労働契約法、労働基準法、労働組合法、労働安全衛生法、パートタイム・有期雇用労働法、労働者派遣法、雇用機会均等法、最低賃金法等、たくさんの法律があります。

労働関係法の違反に対しては、行政指導（是正勧告）がなされ、刑事罰が科せられる場合もありますので、法律を理解することは非常に重要です。しかし、上記のとおり、労働関係法にはたくさんの法律が存在しますので、すべてを理解するのは困難だと思います。

大切なことは、人事労務問題が生じた個別の場面で、「○○の問題だから、○○の法律が問題になるかも」というアンテナを張ることができるようにしておくことです。

そのためには、それぞれの法律が「何を規定した法律であるのか」についておおまかなイメージをもっておくことが有益です。

労働関係法のおおまかなイメージ

法律名	おおまかなイメージ
労働契約法	□会社と従業員が労働条件を合意・変更する際の基本的なルール、会社が人事権や懲戒権を行使する場面における基本的なルール、有期雇用契約に関する基本的なルールを定めた法律 □違反した場合は民事上の責任を負う

労働基準法	□たとえ従業員と会社が合意したとしても下回ることができない最低限の労働条件（賃金、労働時間・休憩・休日・年次有給休暇、賃金等）を定めた法律 □労働基準監督官の調査の対象 □違反した場合には、民事上の責任だけではなく、行政指導や刑事罰の制裁あり
労働組合法	□労働組合の結成、会社と労働組合との合意（労働協約）、争議行為等のルールを定めた法律 □違反した場合には、民事上の責任だけではなく、労働委員会の救済命令、刑事罰の制裁あり
労働安全衛生法	□労働災害防止のために会社が負う義務等を定めた法律 □労働基準監督官の調査の対象 □違反した場合には、行政指導や刑事罰の制裁あり
雇用機会均等法[※1]	□男女の雇用機会の均等を確保するために会社が負う義務等を定めた法律 □違反した場合には、民事上の責任だけではなく、行政指導あり
育児・介護休業法[※2]	□育児・介護休業等に関して会社が負う義務等を定めた法律 □違反した場合には、民事上の責任だけではなく、行政指導や刑事罰の制裁あり
パートタイム・有期雇用労働法[※3]	□パートタイム・有期雇用労働者の労働条件に関して、会社が負う義務等を定めた法律 □違反した場合には、民事上の責任だけではなく、行政指導あり
最低賃金法	□賃金の最低額等に関するルールを定める法律 □労働基準監督官の調査の対象 □違反した場合には、民事上の責任だけではなく、行政指導や刑事罰の制裁あり

労働者派遣法^(※4)	□労働者派遣に関するルールを定める法律 □違反した場合には、行政指導や刑事罰の制裁あり
労働施策総合推進法^(※5)	□職場における優越的な関係を背景とした言動に起因する問題に関して事業主の講ずべき措置等

※1 雇用の分野における男女の均等な機会及び待遇の確保等に関する法律
※2 育児休業、介護休業等育児又は家族介護を行う労働者の福祉に関する法律
※3 短時間労働者及び有期雇用労働者の雇用管理の改善等に関する法律
※4 労働者派遣事業の適正な運営の確保及び派遣労働者の保護等に関する法律
※5 労働施策の総合的な推進並びに労働者の雇用の安定及び職業生活の充実等に関する法律

Q3 雇用契約書、就業規則、労働協約に関して理解しておくべき基本的な事項を教えてください。

解説

1　雇用契約書、就業規則、労働協約の重要性

　雇用契約書、就業規則、労働協約は、いずれも従業員の労働条件を定める基本的な書類ですので、各書類の特徴、書類を作成する際の基本的なルール、それぞれの書類の優劣関係（同じ事項について矛盾する内容を定めている場合に、どちらの書類が優先するか）を理解しておく必要があります。

2　理解しておくべき基本的な事項

(1)　雇用契約書（＝労働契約書）

　雇用契約書は、会社が個々の従業員との間で、労働条件について定めた契約書のことです。労働契約（雇用契約）は口約束でも有効に成立します。雇用契約書を作成するかどうかは自由ですが、実際には、雇用契約書を作成するのが一般的です。従業員が労働条件に同意していたという事実を書類に残すためです。

　なお、雇用契約書を作成しない場合でも、第2章Q1のとおり、会社は従業員に対して労働条件を書面で通知しなければなりません。

　雇用契約は、会社と個々の従業員の個別の契約ですので、就業規則よりも優先すると思われがちですが、必ずしもそうではありません。就業規則よりも従業員に不利な内容を定めた労働契約はその不利な部分に限って無効になります（労働契約法12条、労働基準法93条）。たとえば、就業規則において「休職の場合でも給与を支払う」

という定めがあるにもかかわらず、特定の従業員との間で休職の場合に無給とするという労働契約をしても無効です。そのような合意をする場合には、合意をする前に就業規則を変更して「休職の場合でも給与を支払う」という定めを削除しておく必要があります。

(2) 就業規則

賃金や労働時間等の労働条件に関する会社内の共通のルールを定めたものです。共通のルールとはいっても、会社内の就業規則が1つとは限りません。雇用形態(たとえば、正規雇用や非正規雇用)に応じて別々の就業規則を作成するのが通常です(そうすべきです。理由は、第12章Q6を参照してください)。

就業規則に関する基本的なルールは以下のとおりです。

① 常時10人以上の従業員を雇用している会社は必ず就業規則を作成し、労働基準監督署長に届け出なければなりません(労働基準法89条)。

② 就業規則は、掲示したり配布したりして、従業員にその内容を周知しなければなりません(労働契約法7条、労働基準法106条)。

　就業規則を周知していない場合、従業員に対する拘束力が生じません。たとえば、従業員が悪質な企業秩序違反行為を行った場合においても、懲戒処分をすることはできません。

③ 就業規則には以下の事項を必ず記載しなければなりません(労働基準法89条)。

(ⅰ) 始業および終業の時刻、休憩時間、休日、休暇、交替制に関する事項

(ⅱ) 賃金に関する事項

(ⅲ) 退職に関する事項

④ 就業規則の作成・変更をする際には必ず従業員側（労働組合または過半数代表者）の意見を聴かなければなりません（労働基準法90条）。

⑤ 就業規則の内容は法令や労働協約に反してはなりません（労働基準法92条、労働契約法13条）。

⑥ 就業規則を従業員にとって不利益な内容に変更するには原則として従業員の同意が必要です。就業規則の不利益変更に関しては第5章Q4を参照してください。

不利益変更があった労働条件については、その変更に同意している従業員や不利益変更した後に入社した従業員に対しては効力を生じますが、不利益変更前に入社しかつ変更に同意しない従業員に対しては原則として効力を生じません（労働契約法9条本文）。

(3) 労働協約

労働協約とは、労働組合と会社との間の労働条件等に関する約束のことをいい、双方の記名・押印等をした書面で作成された場合にその効力が発生します（労働組合法14条）。

労働協約は、協約を締結した労働組合の組合員に対しては効力が及びます。たとえば、ある労働組合が会社との間で、当該年度中は給与を1％減額するという組合員にとって不利な内容の労働協約を締結した場合、その内容に同意しない組合員に対しても原則として効力が及び（最判平成9年3月27日労判713号27頁）、当該組合の組合員である従業員の給料は1％減額になります。

他方で、労働協約は、協約を締結した労働組合の組合に所属しない従業員には原則として効力は及びませんが、例外的に、「一の工場事業場に常時使用される同種の労働者の4分の3以上の数の労働

者が一の労働協約の適用を受けるに至った」ときは、組合員以外の従業員にも効力が及びます（労働組合法17条）。

　会社が、労働協約に定められた労働条件や従業員の待遇に反する内容の組合員との労働契約や会社の規則（就業規則）を定めても、その部分は無効となり、労働協約の基準によることになります（労働組合法16条）。つまり、労働協約に定められた労働条件が就業規則や労働契約に優先することとなります。

雇用契約書、就業規則、労働協約の優先順位

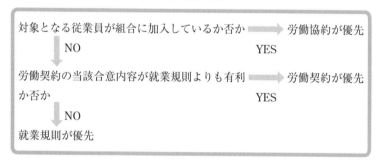

(4) 内規

　内規については、それが実態として就業規則に該当するかどうかを、体裁、制定手続等に照らして検討することになります（大阪高判平成27年9月29日労判1126号18頁）。内規について、就業規則と同じ効力を発生させたい場合には、就業規則でその内規を引用することをおすすめします。

II
人事労務を担当する場合の心構え

Q4 人事労務を担当することになりました。どのようなことを心がければよいですか。

解説

1 法律を遵守する

あたりまえですが、法律を遵守するという意識を持つことが重要です。

以前は、労働関係法に関しては、法律を守るのではなく、法律の抜け道（いわゆるグレーゾーン）を探すかのような対応（脱法的な対応）をとろうとする会社が少なくありませんでした。しかし、そのような対応は、もはや通用しないと考えてください。たくさんの判例が蓄積し、法律の抜け道（グレーゾーン）は現実には存在しないからです。労働基準監督署の調査も年々厳しくなっています。

労働関係法に違反した場合、①民事裁判での敗訴（たとえば、従業員からの未払賃金等請求や損害賠償請求での敗訴）、②労働基準監督署からの指導や是正勧告、③厚生労働省HPへの掲載、④場合によっては、送検（刑事事件として警察から検察に事件を送致することです）・刑事有罪判決を受けてしまう可能性すらあります。これらの事件や処分が公になり、「ブラック企業」というレッテルが貼られてしまうと、会社の被る損害はまさに甚大です。軽微な法律違反が、会社にとって致命的なダメージをもたらすことも少なくありま

せん。

　そのため、法律を遵守しなければなりませんが、労働関係法は膨大な数がありますので、すべてを正しく理解することは困難です（Q2を参照してください）。適宜、専門家に相談できる体制を整えてください。これも、人事労務担当者の重要な仕事の1つです。

2　迅速な対応が非常に重要

　従業員にとって、人事部門に労務問題の相談をするというのは大変勇気のいることです。日頃の悩み・不満・ストレスが積み重なり、やむにやまれず人事部門に相談するのです。相談した後は、「会社はいつ対応してくれるのだろう？」と、そればかりが気になります。少しの対応の遅れは、会社に対する不信感・非難につながります。

　対応の遅れに不信感を抱いた従業員が、労働基準監督署、弁護士、地域型労働組合に駆け込み、労働基準監督署の臨検、訴訟、団体交渉へと発展してしまうことも少なくありません。

　人事労務のトラブルは、時間とともに加速度的に深刻化していく傾向がありますので、迅速な対応は人事労務トラブルを解決するうえで最も重要なことです。

3　1人で対応しない。法務担当者との協同

　人事労務の担当者は、同僚と会社とのトラブルや同僚どうしのトラブルに関与しなければなりません。いわば身内の話ですので、どうしても感情的になり、冷静さを失ってしまうことが少なくありません。しかし、冷静さを失った状態では、中立で公平な対応をとることはできません。中立かつ冷静な対応をするためには、何人かでチームを組んで対応することをおすすめします。

　もう1つおすすめは、法務担当者と協同することです。実務では、

人事労務案件は人事部の担当者のみで対応することが多く、訴訟にでもならない限り、法務担当者は人事労務案件に介入しないことが多いようです。しかし、人事労務案件は法的に難しい問題を含んでいることが少なくありませんし、法的な判断ミスにより会社に甚大な損害が発生してしまうことがあります。人事部門と法務部門が協同して人事労務案件に対応することができる体制を構築すべきです。

> **Q5** 弁護士から、「人事労務に関する紛争は訴訟になる前に解決した方がよい」といわれました。どうしてですか。不当な要求にはどのように対応すればよいですか。

解説

1 訴訟になった場合のリスク

　人事労務は訴訟になる前に解決するのが鉄則です。その理由は、訴訟をした場合には、以下のようなリスクがあるからです。

　第1は敗訴リスクです。労働関係法の解釈適用には、労働者保護の考慮が強く働くため、労働関係訴訟は敗訴リスクの高い訴訟類型であるということができます。裁判において会社の常識が通用せず、歯がゆい思いをすることがあります。

　第2はコストの問題です。労働関係訴訟は、証人尋問に至る事案が多く、弁護士費用等の経済的負担が大きくなりがちです。「これだけの費用がかかると最初からわかっていれば、訴訟になる前に従業員に解決金を支払って解決しておけばよかった」という事案が少なくありません。

　第3は、レピュテーションリスクです。訴訟の口頭弁論期日は公開されていて誰でも自由に傍聴することができますし、訴訟事件記録は所定の手続を経れば事件関係者以外も閲覧することができます。また、司法記者と呼ばれるマスコミ関係者が日頃裁判所においてニュースになりそうな事件（大企業の労災問題やセクハラ問題が典型です）を探しています。人事労務に関する訴訟が記事にされ、ブラック企業とのレッテルが貼られてしまうと、会社の社会的信用が毀損されてしまいます。

2　不当な要求に対する対応

　訴訟になる前に解決するのが望ましいとはいっても、従業員の要求が不当な場合には受け入れてはなりません。毅然とした対応をとるべきです。

　大切なのは、不当な要求かどうかを法律に従って判断することです。従業員の主張が適法な場合には、従業員の要求を受け入れて紛争を早急に解決するのが合理的な対応です。感情的になったり、「適法かもしれないが会社の実情に合わない」などと主張したりして、強硬な姿勢をとり続ける会社を見かけることがありますが、法律に違反する対応は大きなリスクを伴います。

　悩ましいのは、会社の言い分も従業員の言い分もいずれも適法な場合です。どちらかというと会社の言い分の方が正しいものの、従業員の言い分も誤っているとまでいえないような場合もあります。このような場合でも、人事労務案件に関しては訴訟になる前に和解で解決した方が得策な場合が多いと思います。もっとも、和解をすること自体がレピュテーションリスクにつながる場合があります。そのような場合には、和解条項に守秘義務条項を設けるなどの工夫が必要です。

Ⅲ 初動対応

Q6 人事労務に関する相談を受けました。初動対応を教えてください。

解説

1 初動対応の重要性

　人事労務問題は、初動対応が非常に重要です。初動対応の誤りが紛争を深刻化させ、会社にとって大きな不利益をもたらすことが少なくありません。

　初動対応で最も大切なことは、親身になって話を聞くことです。頭ごなしに否定することはやめてください。

2 最初の相談の際の対応

(1) 従業員の身体の安全等に対する危害が現実化しているなどの緊急案件の場合

　たとえば、ストーカー被害にあっているとか、他の従業員からの嫌がらせに堪えられずうつ病になってしまったなどのように、従業員の身体の安全等に対する危害が現実化しているなどの緊急案件の場合には、至急対応を検討する必要があります。

　その際は、まず何より身体の安全を最優先としてください。もっとも、この時点では、相談者の主張が真実であるという前提で、被申告者（加害者等）を処分することはできませんから、安全を確保する

ための措置としては、相談者自身を隔離する措置（相談者に対する自宅待機命令）等を検討することになります。その際、相談者に対しては、当該措置が相談者自身の身体を守るための一時的な措置であり、それにより不利益のないことを説明し納得を得るようにしてください。

(2) 緊急案件以外

即座に回答できる場合にはその場でていねいに説明してください。

その場で回答することができず、規則や法律等を確認する必要がある場合には、「○○さんの相談事項は理解しましたので、社内の規程や法律を検討した後に連絡します。次回連絡するまでに、○日程度はかかります」などと回答してください。

3　相談事項の検討（1週間以内程度が目安）

(1) 就業規則等の規則、労働契約書、労働協約を確認する

社内関係の規則としては、就業規則、賃金規程、内部通報規程、個別の労働契約、労使協定等複数の書面が存在するのが通常です。まずは、これらの書面に目を通し、理解することが重要です。なお、就業規則等が改訂されている場合、通常は行為時点のものが適用されます。

相談事項が内部通報に該当する場合には、内部通報規程に従って対応してください。

(2) チームを組んで対応を協議する

Q4を参照してください。

(3) 法律を検討する

事案によっては、弁護士に相談します（弁護士に相談すべき案件か

どうかについては Q7 を参照してください)。

4　相談者に対する回答

相談事項についての会社の対応方針を本人に説明してください。

5　問題社員からのクレーム

従業員のなかには、相談と称して、会社や人事担当者を攻撃することを目的としているかのような質問を繰り返す者がいます。

その場合であっても、人事担当者としては、他の従業員と同様に、上記1～4の手順に従って対応する必要があります。

ただし、問題社員の場合、以下の点に特に注意してください。

問題社員に対する対応
> ①　その場で回答しない。あわてて回答しない
> 　会社から間違った回答を引き出すことを目的として質問をしていることがあります。確実に回答できること以外はその場で回答しないようにしてください。また、回答期限を区切って質問してきたとしても、その期限に拘束されるわけではありませんので、あわてて回答しないようにしてください。
> ②　回答すべき事項とそうではない事項を判別する
> 　従業員からの質問について必ず回答義務を負うわけではありません。原則として、就業規則その他の社内規程、労働契約書、労働協約に記載された労働条件について説明すれば足ります。
> ③　議論をしない
> 　従業員から議論を求められることもありますが、議論をする義務を負うわけではありません。労働条件等について説明し、納得しない場合には、その従業員の個人的な意見として聞いておけば足ります。

Q7 弁護士に相談した方がよい案件の種類および弁護士に相談すべきタイミングを教えてください。

解説

　日常の人事労務案件は社内の担当者が判断・対処しなければなりません。弁護士に相談した方がよいのは、対応を間違うと会社に小さくない損失が生じるような事案と紛争性の高い事案です。

　弁護士に相談した方がよい事案、その理由および相談すべきタイミングは以下のとおりです。

弁護士に相談した方がよい事案

相談した方がよい事案	相談した方がよい理由	相談すべきタイミング
就業規則の不利益変更	手順等を間違うと無効になり、影響が大きいため	変更内容がある程度決まった時点
うつ病や心臓疾患により従業員が自殺をした場合・その他の深刻な労災事故が発生した場合	遺族対応、労働基準監督署対応等の誤りが会社損失・レピュテーションリスクにつながるため	ただちに
メンタルヘルスの問題を抱える従業員	判例をふまえた対応、ガイドライン等にのっとった対応が要求されることに加えて、紛争に発展することが多いため	事実関係の調査がある程度完了した時点。ただし、復職の可否に関する相談は休職期間満了の2か月前

解雇	会社の一般的な常識と判例の傾向が乖離していることが多く、紛争に発展することが多いため	事実関係の調査がある程度完了した時点
従業員が刑事事件を犯した	適切に対応するためには刑事訴訟法等の知識が必要になるため	ただちに
ハラスメント対応	紛争が深刻化する事案が多いうえ、人権への配慮が必要になるため	事実関係の調査がある程度完了した時点
地域型労働組合（ユニオン）から加入通知	労働組合法や判例をふまえた対応が要求されるため。レピュテーションリスクがあるため	ただちに
訴訟、労働審判、従業員に弁護士がついた	すでに紛争状態であるため	ただちに

Q8 弁護士に法律相談する場合に、どのような資料を準備すればよいですか。

解説

弁護士に相談する際には、社内でとりまとめた資料を事前に送付した方が効率的ですし、的確な助言を得ることができます。

人事労務問題全般に共通する必要資料として、就業規則、労働協約および労働契約書（労働条件通知書）がありますが、それに加えて個別案件では以下のような資料を事前に準備してください。

準備する資料

事案	送付する資料
全案件共通	就業規則、労働協約、労働契約書
就業規則の不利益変更	検討している変更内容の説明資料
うつ病や心臓疾患により従業員が自殺をした場合	□直近6か月の労働時間、出勤状況がわかる資料 □事情聴取書（上司、同僚） □直近の業務命令、人事処分に関する資料 □従業員の病状に関する資料
メンタルヘルスの問題を抱える従業員	□事情聴取書（対象者、上司） □休職命令通知書 □医師の診断書
解雇	□事実関係を時系列でまとめたもの □履歴書、勤務評価書
従業員が刑事事件を犯した	□事実関係をまとめたもの

ハラスメント対応	□事実関係をまとめたもの □内部通報規程（コンプライアンス規程） □ハラスメント規程
地域型労働組合（ユニオン）から加入通知	□加入通知書 □団体交渉事項に関する資料（内容に応じて異なる）
従業員に弁護士がついた	□受任通知書 □紛争となっている事項に関する資料（内容に応じて異なる）

第2章

労働契約の締結

I 労働契約の締結

> **Q1** 労働契約を締結する際の注意点を教えてください。

解説

　労働契約を締結した後に従業員の問題性が発覚したとしても、解雇等により労働契約を解消することは容易ではありません。また、入社時に労働条件を明確にしていなかったことが、後の紛争の原因になることも少なくありません。人事労務問題の発生を防ぐためには、労働契約の締結の時点で、労働者の適性や問題性をきちんと審査すること、加えて、労働条件を具体的に確定し従業員に説明することが重要です。

1 経歴等をきちんと確認する

　経歴等の審査は非常に重要です。とくに、中途採用の場合は、それまでの職歴等から従業員の適正に関するさまざまなことがわかりますので、新規採用の場合よりも経歴等の審査が重要になります。
　経歴等を審査する前提として、もれのない経歴書の提出を求めてください。最近は、定型書式を用いず、申込者自身で経歴書の書式を作成することが多いようです。その場合、都合の悪い項目自体を削除することがありますので注意が必要です。

経歴書に記載を求めるかどうかを検討した方がよい事項

① 職務に関係する前科前歴、行政罰（道路交通法違反を含む）
② 職歴のすべて
③ 従前の会社における懲戒処分、解雇・降格処分
④ 健康状態

　申込者を面接する際には、経歴書をもとに詳細な事情を確認してください。たとえば、短期間に職を転々としている場合や無職の期間が長い場合には、その理由を確認してください。不可解な点があれば、従前の会社の退職理由証明書を提出させてください。

2　個人情報を収集する際のルールを守る

　採用活動において応募者から個人情報を収集する場合、個人情報保護法と職業安定法を遵守しなければなりません。違反すると改善命令や罰則が適用されることがありますので注意が必要です。

　上記の法律で定められた主なルールは以下のとおりです。
① 　個人情報を利用する目的をできるだけ特定するとともに、HPで利用目的を公表しあるいは本人に利用目的を通知する（個人情報保護法15条1項、18条1項）。
② 　個人情報は、会社の業務の目的の達成の範囲内でしか収集してはならない（職業安定法5条の4第1項）。
③ 　本人から直接収集し、または本人の同意の下で本人以外の者から収集する等適法かつ公正な手段によらなければならない（「職業紹介事業者、求人者、労働者の募集を行う者、募集受託者、募集情報等提供事業を行う者、労働者供給事業者、労働者供給を受けようとする者等が均等待遇、労働条件等の明示、求職者等の個人情報の取扱い、職業紹介事業者の責務、募集内容の的確な表示、労働者の募集を行う者等の責務、労働者供給事業者の責務等に関して適切に対処するための指針」

〔平成11年労働省告示第141号、最終改正　令和2年厚生労働省告示第160号〕)。

④　本人の同意を得ないで第三者へ情報提供をしてはならない(個人情報保護法23条1項)。また、正当な理由なく、応募者の秘密を漏らしてはならない(職業安定法51条1項)。

3　入社誓約書を提出させる

入社にあたっては、入社誓約書を提出させてください。書式：入社誓約書を参照してください。

4　身元保証書の提出を検討する

従業員の行為によって会社が被った損害を保証人に賠償させるため、入社時に従業員の親族等を保証人とする身元保証書の提出を検討してください。身元保証については、存続期間等に関して法律上の制限(身元保証に関する法律)がありますので注意してください。書式：身元保証書を参照してください。

5　労働条件を具体的に確定する

賃金、労働時間、休暇、休日等の基本的な労働条件を確定しなければならないことは当然ですが、職種や勤務地を限定するかどうかなどについてもきちんと確定してください。

労働条件が求人票等で記載した内容と異なる場合には、変更内容を申込者に説明してください(東京高判平成12年4月19日労判787号35頁)。

個別の労働契約を締結した場合であっても、就業規則で定める労働条件よりも不利な内容の部分は無効になりますので、就業規則で定める労働条件を下回ることがないように注意してください(第1

章 Q3 を参照してください）。

6 確定した労働条件を書面で明示し、個別の労働契約書を作成する

会社は、労働契約を締結する際に、書面で労働条件を明示しなければなりません（労働基準法15条1項、労働基準法施行規則5条3項）。実務では、雇用条件通知書（労働条件通知書）という書面を交付します。

当該労働条件について従業員が同意していることを書面化するために、「労働条件通知書兼雇用契約書」を作成することをおすすめします（第1章 Q3 を参照してください）。

7 有期雇用契約の場合、更新について誤解が生じないようにする

有期雇用契約について契約期間終了時に更新の可否をめぐって紛争が生じることが少なくありません。その原因は、採用にあたって、更新の可否について会社の考えをきちんと伝えていないことに原因があります。使用者の何気ない一言で、労働者は更新について強く期待してしまいますので、更新するかどうか決まっていないのであれば、更新を期待させるような言動をすることは厳に慎まなければなりません。更新を期待させるような言動をしてしまった場合、契約期間満了時の雇止めが認められなくなる場合があり（労働契約法19条2号）、結果として無期雇用への転換を認めざるを得なくなることがあります（労働契約法18条）ので注意が必要です。

書面での明示が義務づけられている労働条件

① 契約はいつまでか（労働契約の期間に関すること）
② 期間の定めがある契約の更新についての決まり（更新があるかどうか、更新する場合の判断のしかた等）

③ どこでどんな仕事をするのか（仕事をする場所、仕事の内容）
④ 仕事の時間や休みはどうなっているのか（仕事の始めと終わりの時刻、残業の有無、休憩時間、休日・休暇、就業時転換（交替制）勤務のローテーション等）
⑤ 賃金はどのように支払われるのか（賃金の決定、計算と支払いの方法、締切りと支払いの時期）
⑥ 辞めるときの決まり（退職に関すること〔解雇の事由を含む〕）

書式：入社誓約書

○○株式会社
代表取締役　○○○○　殿

入社誓約書

　私は、このたび貴社の社員として入社することとなりましたので、就業規則を確認するとともに、下記事項を遵守し履行することを誓約いたします。

1　貴社の就業規則および諸規程（今後変更または新たに設けられるものを含む。以下同様とする）を遵守し誠実に勤務いたします。
2　貴社に提出した私の履歴書や採用時の提出書類に記載された事項に、相違のあることが判明したときは、採用を取り消されても異議を述べません。
3　貴社の信用および名誉の保持に努め、これを汚すような行為をいたしません。
4　貴社の利害または信用に関わる重要な事項および営業上の秘密に属する事項につき、第三者に一切漏洩いたしません。また、在職中に職務に関連して入手した文書、名刺、資料は、貴社の許可なく社外に持ち出さず、大切に保管するとともに、退職時には返還することを約束いたします。
5　貴社の情報システムおよび情報資産の一切が貴社に帰属している

ことを理解し、貴社が情報システムおよび情報資産の保護のために必要であると認めた場合には、電子メール等を断りなくモニタリングされることがあることを承知し、これに同意します。
6 貴社の社員としての義務に違背し、故意または過失により貴社に損害を与えた場合には、ただちにその損害全額を賠償いたします。
7 反社会的勢力（暴力団、暴力団員、暴力団員でなくなったときから5年を経過しない者、暴力団準構成員、暴力団関係企業、総会屋等、社会運動等標ぼうゴロまたは特殊知能暴力集団等、その他これに準ずる者）との関係を一切しておらず、将来にわたって一切関係を持たないことを約束いたします。
8 法令の制定もしくは改廃、または経営上の理由等により、貴社が貴社の裁量に基づき就業規則および諸規程を一方的に変更する権利を付与します。
9 本誓約書のいずれかの規定に違反した場合、貴社の下す対応に対して一切異議を申し立てません。

令和〇年〇月〇日
住所
氏名　　　　　　　㊞

書式：身元保証書

○○株式会社
代表取締役　○○○○　殿

身元保証書

今般、○○○○（以下「本人」といいます）が、貴社に社員として採用されるにあたり下記のとおり保証します。
記
1 私は、本人の身元保証人として、雇用の日から5年間にわたり、貴社の就業規則および諸規則を遵守させます。

2 万一本人が貴社に対し、故意または過失により損害を与えた場合には、私が本人に責任をとるよう指導するとともに、金〇円を限度に、本人と連帯して賠償します。
3 貴社と本人との間で何らかのトラブルが生じた場合等、本人と貴社との間で話し合いが必要な事態が生じた場合には、貴社の求めに応じて話し合いに同席するなど、問題解決のために全面的に協力いたします。

以上

令和〇年〇月〇日

【身元保証人】
住所
氏名　　　　　　　　　　　㊞
(被身元保証人との関係　　　)
連絡先

【被身元保証人】
住所
氏名　　　　　　　　　　　㊞

Ⅱ 採用内定

Q2 採用内定の取消しはどのような基準で認められますか。採用内々定の取消しの基準も同じですか。

解説

1 採用内定の取消し

　会社の求人募集に応募し、筆記・面接等の試験に合格して採用内定通知を交付された従業員が誓約書を差し入れたような典型的な事案の場合には、採用内定通知（書式：採用内定通知書を参照）を交付した時点で労働契約が成立します（最判昭和54年7月20日民集33巻5号582頁）。したがって、採用内定が成立した時点以降は、労働契約（内定契約）の解消（内定取消し）が認められない限り、雇用契約が継続することになります。

　採用内定取消しは、誓約書等で留保した会社の留保解約権（一種の解雇）の行使であり、その可否は、「解約権留保の趣旨、目的に照らして、客観的に合理的な理由が存在し社会通念上相当として是認することができる」か否かという基準で判断されます（最判昭和54年7月20日民集33巻5号582頁、最判昭和48年12月12日民集27巻11号1536頁）。なお、採用内定の取消事由は労働契約において明示されているものに限定されるわけではありません（最判昭和55年5月30日民集34巻3号464頁）。

　問題はこの基準が具体的にどのように適用されるかです。採用内

定の場合、いまだ就労していない段階ですので、実際に働き始めた後の解雇等に比べると留保解約権の行使(内定取消し)の可否はゆるやかな基準で判断されることになると解されますが、まったく自由というわけではありません。

2 採用内定取消しの可否(基準・判例の傾向)

採用内定取消しの可否は、実際に働き始めた後の普通解雇に比べるとゆるやかな基準で判断されます。具体的には、「当該事由を知っていた場合には採用しなかったと認められるか否か」で判断されます。

たとえば、学校を卒業できなかった場合や所定の免許・資格が取得できなかった場合、健康状態が悪化し働くことが困難となった場合、履歴書の記載内容に重大な虚偽記載があった場合、刑事事件を起こしてしまった場合等は、採用内定取消しは有効になります。

これに対して、採用内定時にすでに判明していた事情あるいは採用内定時に十分に予想しえた事情を理由とする採用内定取消しは無効になります(上記最判昭和54年7月20日)。また、採用内定を取り消すだけの相当な理由が要求されることもあります。「悪い噂」がある程度で採用内定を取り消すことはできません(東京地判平成16年6月23日判時1868号139頁)。

また、「履歴書」に虚偽の記載がなされた場合には、採用内定の取消しが認められる場合が多いと思いますが、悪質性を欠く場合には採用内定の取消しが否定されることがあります。判例でも、在日韓国人であることを秘して本籍において事実と異なる記載をした場合について、不信義性がないとして採用内定取消しが無効と判断されています(横浜地判昭和49年6月19日労民集25巻3号277頁)。

採用内定後に対象者の身体の障害等が明らかになった場合は、身体障害者の人権を考慮しなければなりませんので、慎重に判断する

必要があります。後遺障害があっても業務上の支障が生じないような場合や将来的に回復の見込みがあるような場合には、採用内定取消しは認められない可能性が高いと解されます（東京地判昭和45年11月30日判時613号25頁）。

3 採用内々定の取消し

　採用内々定とは、一般的には、正式に内定通知を受領する前に、「内定が決まった」などと口頭で告げることを指します。この段階では、いまだ労働契約は成立していませんので、取消しは自由に認められます（福岡高判平成23年3月10日労判1020号82頁）。ただし、採用内々定に至る事情等次第で、会社は損害賠償責任を負う場合があります。

4 採用内定取消しの際の手続

　採用内定取消しをする場合、通常の解雇と同様、会社は解雇予告の手続をきちんと行う必要があります。また、内定者が採用内定取消しの理由について証明書を請求した場合には、すぐに証明書を交付しなければなりません。

採用内定の取消しの可否の判断方法

> 取消しの理由たる事情を採用内定成立時点で認識していなかったか
> 　　　　⬇ YES
> その事情を知っていたら採用内定を出さなかったか
> 　　　　⬇ YES
> 以下のいずれかが認められるか
> 　□その事情を意図的に隠しており、隠したことに悪質性が認められる
> 　□新たに判明した事情の存在により、担当することを予定していた職務に対する支障が具体的に認められる

```
        ↓ YES
┌─────────────────────────┐
│ 採用内定取消し有効      │
└─────────────────────────┘
```

書式：採用内定通知書

○○　○○　殿

採用内定通知書

拝啓　時下益々ご清栄のこととお慶び申し上げます。
　先日は、お忙しい中、当社の採用試験にお時間をいただきありがとうございました。
　さて、○○様の採用について検討させていただいた結果、下記の条件にて貴殿の採用を内定させていただくこととなりましたので、その旨ご通知いたします。

敬具

記

① 　契約期間
② 　入社予定日

　なお、下記に該当する事由が判明した場合には、本採用内定が取り消されることがありますので、予めご承知ください。
1 　入社日までに大学を卒業できなかったとき
2 　健康状態が著しく悪化し、入社に適さないと判断されたとき
3 　履歴書その他当社へ提出した書類への虚偽（真実と異なる）記載あるいは当社への虚偽（真実と異なる）申告が判明したとき
4 　刑事上の処分を受けたとき
5 　その他、入社までの間に、貴殿の入社が不適当と認められる新たな事情が判明したとき

令和○○年○○月○○日

株式会社○○○○

Q3 会社の経営状態の悪化を理由とした採用内定取消しは認められますか。採用内定取消しが無効となった場合の法律関係はどのようになりますか。

解説

1 会社の経営状態の悪化を理由とした採用内定取消しの可否

　会社の経営状況の悪化を理由とした採用内定の取消しが認められるか否かは、採用内定者に帰責性がある場合の内定取消しよりも厳格に判断がなされます。具体的には、整理解雇に準じて、①内定を取り消さなければならないほど業績が悪化しているかどうか、②内定取消しを回避するための努力を尽くしたかどうか、③内定取消し対象者の人選の合理性、④内定取消しに至る手続の妥当性の4つの要素を総合的に考慮して判断されます（東京地判平成9年10月31日労判726号37頁）。

　この点、①および②の要件については整理解雇の判断要素と異なるところはありません。③については、すでに就労している従業員を整理解雇するのではなく、会社との結びつきが弱い採用内定者の内定取消しを優先的に行うことそれ自体が否定されるわけではありません。④については、採用内定者の納得が得られるよう十分な説明を行う信義則上の義務を会社は負っています。

　なお、新卒採用者の内定の取消しを行おうとする企業はあらかじめハローワーク等に通知をしなければなりません（職業安定法施行規則35条2項2号）。また、2年度以上連続して内定取消しをした場合や同一年度内で10名以上の内定取消しをした場合、内定取消しの理由を十分に説明しない場合など、企業の対応が十分でない場合には、企業名が公表されてしまう場合があります（職業安定法施行

規則第17条の4第1項の規定に基づき厚生労働大臣が定める場合〔平成21年厚生労働省告示第5号〕)。

2 採用内定取消しが無効になった場合の法律関係

採用内定取消しが無効になった場合、採用内定者は雇用契約上の地位が認められることになります。また、違法な内定取消しは不法行為に該当し、損害賠償請求が認められます。違法な内定取消しの結果、失業した期間が長期間になる場合には、その分損害額(慰謝料)が高額になってしまうことがあります(東京地判平成15年6月30日労判851号90頁)。

Ⅲ 試用期間

Q4 試用期間を設ける際に注意すべきことを教えてください。

解説

1 適切な長さ

　試用期間は、職種・職務内容に応じた適切な長さとしてください。長期間の試用期間は無効になる可能性があります（名古屋地判昭和59年3月23日労判439号64頁）。

　適切な長さについて基準があるわけではありませんが、通常は3か月～6か月を試用期間とすることが多いようです。

　また、試用期間を延長するためには、その根拠規定を就業規則等に定めておくことが必要です。ただし、就業規則等に根拠規定があるからといって無条件で延長が認められるわけではありません。試用期間の延長が認められるためには、試用契約を締結した際に予見しえなかった事情により当初予定していた期間では適格性の判断ができなかったなど、延長を必要とする合理的事情が必要です。

2 個別合意の場合は、就業規則で定める試用期間より短く

　個別の労働契約において、就業規則において定められた試用期間よりも長い試用期間を定めた場合、就業規則の定める労働条件よりも不利な労働条件を定めるものとして、就業規則に定める期間を超

えた部分は無効となります（労働契約法12条、労働基準法93条、徳島地判昭和45年3月31日労民集21巻2号451頁）。

3 一定の専門性を前提として採用した場合には、そのことを労働契約書等に具体的に記載

　会社が一定の専門性があることを前提に試用契約を締結したものの、試用期間においてその専門性を欠くことが明らかになった場合には、専門性を前提としない場合に比べて本採用拒否が認められやすいというのが判例の傾向です（東京地判平成21年8月31日労判995号80頁）。したがって、一定の専門性を前提として採用した場合には、そのことを労働契約書等に具体的に記載しておくことをおすすめします。

Q5 試用期間中の従業員を試用期間満了時にやめてもらおうと思います。本採用拒否はどのような基準で判断されますか。また、判例の傾向を教えてください。

解説

1 本採用拒否の可否の判断基準

試用期間満了時の本採用拒否に関して、判例は、会社の留保解約権（一種の解雇）の行使であり、「解約権留保の趣旨、目的に照らして、客観的に合理的な理由が存し社会通念上相当として是認されうる場合にのみ許される」という一般的な基準を定立しています（最判昭和48年12月12日民集27巻11号1536頁、最判平成2年6月5日民集44巻4号668頁）。

問題は上記基準へのあてはめですが、東京地判平成24年8月23日（労判1061号28頁）は、試用期間を設ける趣旨（解約権を留保する趣旨）は、採用当初において従業員の資質・性格・能力等の適格性の有無に関する資料を十分に収集することができないため、後日における調査や観察に基づく最終的決定を留保する趣旨であり、かかる趣旨から通常の解雇に比べ広く認められるものの、その範囲はそれほど広く認められるものではないとしています。また、東京地判平成22年12月22日（公刊物未登載）は、解約留保権行使の要件として、①「入社の際の選考では見出せなかった客観的事情」、および、②「当該事情を前提とすれば、採用できないものと認められる事情」の2つの要件をあげています。

2 判例の傾向・参考となる判例

判例の傾向としては、解雇に比べると相当程度ゆるやかに解約

保権の行使を認めているといえます。特に、中途採用についてはその傾向が見受けられ、たとえば即戦力採用の管理職に対する本採用拒否を有効とした判例（東京地判平成31年1月11日労判1204号62頁、東京高判昭和58年12月14日労民集34巻5・6号922頁）が参考になります。

　もっとも、たとえば、資質・能力不足を理由とする本採用拒否については、資質や能力不足が客観的に認定できることが要件とされていますし、資質や能力不足が客観的に認められる場合であっても、能力不足の程度がある程度大きい場合に限って解約留保権の行使を認めているといえます。

本採用拒否に関して参考となる判例

判旨の概要	判例
「報告・連絡・相談」を適切に行うことができず、上司の指示に従わない従業員に対する試用期間中の解雇を有効とした。	令和元年12月20日公刊物未登載
即戦力採用の管理職に対する本採用拒否を有効とした。	東京地判平成31年1月11日労判1204号62頁（東京高裁も原審維持）
会社の従業員全員が集まる会議で、突然試算表や決算表が間違っていると発言した従業員の本採用拒否を有効とした（原審は無効）。	東京高判平成28年8月3日労判1145号21頁
マニュアルと異なる回答を複数回行い、また、私的な借金があることを理由になされた本採用拒否を無効とした。	東京地判平成26年1月21日労判1097号87頁

本採用拒否について、解雇事由に該当する行為は認められるが、資質、能力に大きな問題があるとまではいえず、また、試用期間中であってもある程度の解約回避のための措置をとる必要があるとして、本採用拒否を無効とした。	東京地判平成24年8月23日労判1061号28頁
延長後の試用期間中に評価プログラムを達成できなかったことを理由とする解雇を有効とした。	東京地判平成23年6月10日公刊物未登載
独善的で上司の指示に従わない従業員に対する試用期間中の解雇を有効とした。	東京地判平成22年12月22日公刊物未登載
以前務めていた会社を解雇されたことを意図的に隠した経歴詐称を理由とする試用期間中の解雇を有効とした。	東京地判平成21年8月31日労判995号80頁
協調性がなく、期待された管理能力を欠くなどとしてなされた本採用拒否を有効とした。	東京地判平成15年10月27日公刊物未登載

Q6 本採用拒否をする場合の注意点を教えてください。

解説

1 試用期間中の業務遂行について適切に指示命令・注意指導を行う

　本採用拒否が認められるためには、資質や能力不足が客観的に認められることが必要です。そのためには、試用期間中においては、業務遂行に関する指示命令を具体的に行い、従業員がこの指示命令を履行できたかどうかをつど確認してください。また、問題行動に対しては、注意指導を行い、改善の有無を記録してください。

2 試用期間の途中での解雇は慎重に行う

　試用期間を定めた場合、期間の途中での解雇は、期間満了時の本採用拒否に比べて、その有効性が厳格に判断されます（東京高判平成21年9月15日労判991号153頁）。残りの試用期間において、会社の求める業務適格性を満たす余地があると判断されてしまうためです。

　したがって、業務適格性を欠くことを理由とする場合には、原則として、試用期間の途中で解雇するのではなく、期間満了時において本採用拒否としてください。これに対して、経歴詐称や保有資格の詐称が認められた場合は、試用期間の途中で解雇することが認められる事案が多いと思います（東京地判平成21年8月31日労判995号80頁）。

3 解雇予告または解雇予告手当の支払い

　試用期間が14日間を超えた場合、試用期間中の解雇または本採

用拒否をする場合には、30日前に解雇予告をするか、そうではなくて即時解雇する場合には30日分以上の平均賃金を支払う必要があります（労働基準法20条、21条4号）。

　なお、試用期間と解雇予告の関係については、東京地判平成15年10月27日（公刊物未登載）が参考になります。

第3章

労働時間、休日、賃金

I 労働時間

Q1 労働時間についての基本的ルールを教えてください。

解説

1 法定労働時間と所定労働時間

　始業・終業時刻および休憩時間等は就業規則の絶対的必要記載事項とされています（労働基準法89条1号）。この就業規則によって定められる会社ごとの労働時間を所定労働時間といいます。就業規則によって定められた始業時刻から終業時刻までの時間から休憩時間を控除したものが所定労働時間です。たとえば、始業時刻が午前9時、終業時刻が午後5時で、休憩が正午から午後1時までと就業規則に規定されている場合の所定労働時間は7時間ということになります。

　所定労働時間は労働条件の一つですから、本来は、会社と従業員との合意によって自由に定めることができるはずですが、労働基準法は、労働者の健康を守るため労働時間について制限を設けています。これが法定労働時間です。所定労働時間は法定労働時間の枠内で定めなければなりません。

2 労働時間の原則（法定労働時間）

　労働時間は「1日8時間以内かつ1週間合計40時間以内」でな

ければなりません。これは法律上の制限なので法定労働時間といいます。法定労働時間を超える労働（時間外労働）は原則として違法です。

実際には、多くの会社で時間外労働が行われていますが、法律上、時間外労働は例外として位置づけられていることを理解してください。

労働時間の原則

> 労働基準法32条1項
>   休憩時間を除いて1週間について40時間を超えて労働させてはならない。
> 労働基準法32条2項
>   休憩時間を除き1日について8時間を超えて労働させてはならない。

3　労働時間の例外（時間外労働が許容されるための要件）

例外として法定労働時間を超える労働（時間外労働）を行うためには、過半数労働組合（過半数労働組合がない場合は従業員の過半数代表者）との間で、「時間外労働・休日労働に関する協定」を締結し、労働基準監督署への届出をしなければなりません（労働基準法36条）。この協定は労働基準法36条に規定されていることから、「三六協定（サブロク協定）」と呼ばれています。この三六協定の手続（三六協定の締結および届出）を履践することなく時間外労働が行われた場合は、労働基準法違反となります。毎年、多くの会社が、この労働基準法違反を理由に検察官送致（刑事罰を科すために事件を捜査機関である検察官に送る手続です）されています。

三六協定を締結すれば無制限に時間外労働をさせることができるわけではありません。協定で定める時間外労働時間の上限（以下

「限度時間」）は、原則として、1か月45時間かつ1年360時間でなければなりません（労働基準法36条4項）。

さらに、当該事業場における通常予見することができない業務量の大幅な増加に伴い、臨時的に限度時間を超えて労働させる必要がある場合には、36協定に特別条項を定めることができるとされ（いわゆる特別条項付き36協定）、この場合、例外的に労働基準法36条4項が定める限度時間を超える時間の労働をさせることが可能です。もっとも、この場合でも労働時間の上限が法律上設けられました（労働基準法36条5項）。具体的には、特別条項付き36協定で定めることができるのは、①時間外労働は年720時間以内、②時間外労働と法定休日労働の合計で単月100時間未満（休日労働含む）、かつ、2〜6か月平均80時間以内③時間外労働が月45時間を超えることができるのは1年間に6か月に限られることになりました。この上限については、違反した場合の罰則規定（改正労働基準法119条1号）が設けられています。

労働時間の原則と例外

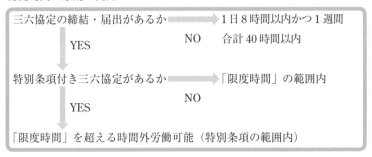

限度時間(一般の労働者)

期間	1週間	2週間	4週間	1か月	2か月	3か月	1年
限度時間	15時間	27時間	43時間	45時間	81時間	120時間	360時間

Q2

労働時間とはどのような時間を意味しますか。また、以下の時間は労働時間に該当しますか。
① 始業前の準備作業や終業後の後片付けの時間
② 時間外労働を禁止しているにもかかわらず従業員が行った場合
③ 持ち帰り残業
④ 移動時間
⑤ 研修の参加

解説

1 労働時間とは？

労働時間とは、使用者の指揮命令のもとに置かれている時間を意味します（最判平成12年3月9日民集54巻3号801頁）。また、労働時間といえるためには、会社の明示または黙示の指示に基づき業務を行ったことが要件です（厚生労働省「労働時間の適正な把握のために使用者が講ずべき措置に関するガイドライン」〔平成29年1月20日〕）。会社の業務を行った場合であっても、会社の知らないところで従業員が勝手に業務に従事した時間は原則として労働時間に含まれません。

2 始業前時間と終業後時間（設問①）

会社によって義務づけられて行う始業前の更衣時間、朝礼時間、会社の明示または黙示の指示によって従事した始業前の準備作業や後片付けの時間はいずれも労働時間に該当します（東京地判平成17年2月25日労判893号113頁、東京高判平成17年7月20日労判899号13頁、東京地判平成20年2月22日労判966号51頁）。これに対して、業務性や会社による拘束が認められない場合は、労働時間に該当しません（東京高判平成25年11月21日労判1086号52頁）。たとえば、

始業前・終業後の入門・退門に要する移動時間は労働時間に該当しません。また、入浴・着替えのための時間は、洗身・入浴しなければ社会通念上通勤が著しく困難になるなどの特別の事情が認められない限り、労働時間には該当しません（最判昭和59年10月18日労判458号4頁）。

3 残業禁止命令に反する時間外労働（設問②）

時間外労働（所定労働時間を超える労働）は、会社の明示または黙示の指示に基づき行われたものであれば労働時間になります。会社が明示的に指示をしていない場合であっても、従業員が就業規則の規定と異なる出退勤を行って時間外労働に従事していることについて、会社が知りつつ、異議を述べない場合や業務量が所定時間内に処理できないほど多く、時間外労働が常態化している場合には、黙示の指示に基づく時間外労働と認定されます（東京地判平成14年9月27日労判841号89頁、東京高判平成22年7月28日労判1009号14頁）。「時間外労働をする場合には事前に所属長が承認をしなければならない」という就業規則（残業承認制）の定めがあったとしても、会社の明示または黙示の指示に基づき時間外労働が行われたと認められる場合には、労働時間に該当します。たとえば、残業承認制であっても所定労働時間内において終了させることが困難な量の業務を行わせ、かつ、当該労働者が残業していたことを会社代表者が認識していた場合には、黙示の指示があったものとして労働時間に該当すると解されます（東京地判平成30年3月28日労経速2357号14頁）。これに対して、使用者が残業禁止を明示的に命じており、かつ、黙示の指示が認められない場合は、これに反する時間外労働は使用者の指揮命令下の労働とは認められませんので、労働時間には該当しません（東京高判平成17年3月30日労判905号72頁）。ただ

し、一般論として、労働者が事業場にいる時間は、特段の事情がない限り、労働に従事していたと推認すべきとする判例（東京地判平成 25 年 5 月 22 日労判 1095 号 63 頁）がありますので、時間外労働を禁止しているのであれば、あわせて勤務が終了し次第退社することを命ずるなどの措置を講ずることが望ましいと解されます。

4 持ち帰り残業（設問③）

家庭での持ち帰り残業は、従業員の私的な生活の場である家庭で行われるものですので、指揮命令下での労働とは認められず、原則として労働基準法上の労働時間には該当しません（佐々木宗啓ほか『類型別労働関係訴訟の実務』〔青林書院、2017〕108 頁、東京地判平成 28 年 2 月 24 日公刊物未登載、東京地判平成 26 年 1 月 10 日公刊物未登載）。例外的に、持ち帰り残業が労働時間と認められるのは、会社から業務遂行を指示されてこれを承諾し、私生活上の行為と峻別して労務を提供して業務を処理したような例外的な場合に限られます。

5 移動時間（設問④）

通勤時間は労働時間には該当しません。休日中になされた出張前後の移動時間も同様です（東京地判平成元年 11 月 20 日労判 551 号 6 頁、東京地判平成 6 年 9 月 27 日労判 660 号 35 頁）。また、会社事務所と作業現場への往復は労働時間に該当しないとする判例（東京地判平成 14 年 11 月 15 日労判 836 号 148 頁）がある一方で、配管工の事務所と工事現場の往復を作業時間に該当するとした判例（東京地判平成 20 年 2 月 22 日労判 966 号 51 頁）もあり、具体的な事情を勘案して、指揮命令下にあるか否かが判断されています。

6　研修の参加（設問⑤）

　社内研修や社外研修は、会社の明示または黙示の指示に基づくもので参加が事実上強制されている場合には、労働時間に該当しますが（大阪地判昭和58年2月14日労判405号64頁）、自由参加の場合には労働時間に該当しません（名古屋地判平成16年1月20日労判880号153頁）。

II 休憩

Q3 休憩時間についての基本的ルールを教えてください。また、休憩時間と手待時間の違いを教えてください。

解説

1 休憩時間についての基本的ルール

休憩時間は、使用者の指揮命令から離れて自由に利用することができる時間です（労働基準法34条3項）。これに対して、手待時間は休憩時間には該当せず、労働時間に該当します。

休憩についての基本的なルールは以下のとおりです。

休憩時間の基本的なルール（労働基準法34条）

① 労働時間が6時間を超え、8時間以下の場合
　➡ 少なくとも45分の休憩を与えなければならない
② 8時間を超える場合
　➡ 少なくとも1時間の休憩を与えなければならない
③ 全従業員に一斉に与えなければならない
　➡ ただし、労使協定で例外を設けることは可能（労働基準法34条2項）

まず、休憩時間についてルールがあります。具体的には、所定労働時間が8時間の場合は45分の休憩で足りますが、少しでも残業を命ずると所定労働時間が8時間を超えますので、残業時間の途中に15分の休憩を与えなければなりません。

次に、休憩は原則として労働者に一斉に与えなければなりませんが（労働基準法34条2項本文）、例外として過半数労働組合（過半数組合がない場合は従業員の過半数代表者）との間で協定を締結することで一斉に付与しなくてもよいこととできます（同項ただし書）。

　さらに、休憩時間は労働者の自由に利用させなければなりません（労働基準法34条2項本文）。

2　手待時間と休憩時間の違い

　手待時間と休憩時間の違いは、会社の指示があればただちに作業に従事しなければならないか、従業員に自由利用が保障されているかという点にあります。手待時間は、作業と作業の間の時間を指します。使用者の指揮命令から離れて自由が保障されているとはいえませんので、休憩時間であるとはいえません。会社が休憩であるとしている時間であっても、手待時間であると認定されれば労働時間となります（東京地判平成17年11月11日労判908号37頁）。他方で、手待時間に該当しないと判断された場合には休憩時間（労働基準法34条）に該当します。たとえば、客が来店した際に即時対応しなければならない場合は手待時間となり、昼食休憩時間中に来客当番をした場合には、実際に来客がなくても労働時間となります（大阪地判昭和56年3月24日労経速1091号3頁）。また、事業場内における仮眠時間も、仮眠室における待機と電話等の対応を義務づけられている場合には、労働時間となります（最判平成14年2月28日民集56巻2号361頁）。さらに、コピーライターの作業の合間に生じる空き時間においてパソコン等で遊んでいたとしても、広告代理店の指示があればただちに作業に従事しなければならないとの業務命令があった場合には、労働時間に該当します（東京地判平成19年6月15日労判944号42頁）。

Ⅲ 休日

Q4 休日についての基本的ルールを教えてください。

解説

1 休日の基本的ルール（週休1日制）

休日とは、労働契約においてあらかじめ労働義務を負わない日として定められた日で、休業（労働義務を負う日であるが就業させない日）、休暇（労働義務を負う日であるが、権利として労働から離れることができる日）とは異なります。

休日は、1週間（7日間）に1回与えるのが原則です（いわゆる、週休1日制の原則。労働基準法35条1項）。日曜日や祝祭日を休日とする必要はありませんが、歴日を基準（午前0時から午後12時まで）として与えなければなりません（昭和23年4月5日基発第535号）。

2 例外（変形週休制）

特定の4週間を通じて4日以上の休日を与える場合には、週休制の原則は適用されません（いわゆる、変形週休制。労働基準法35条2項）。

変形週休制を採用するためには、就業規則において、単位となる4週間の起算点を定める必要があります。

3 休日の振替と代休

(1) 休日の振替

「休日の振替」とは、事前に、休日と定められていた日を労働日とし、その代わりに他の労働日を休日とすることをいいます。これにより、もともと休日と定められた日が「労働日」となり、そのかわりとして振り替えられた日が「休日」となります。したがって、もともとの休日に労働させた日については「休日労働」とはならず、休日労働に対する割増賃金の支払義務も発生しません（休日の振替の結果、1週間の法定労働時間である40時間を超えた場合には割増賃金〔25％以上の割増率〕の支払いが必要です）。

休日の振替を行うには、就業規則等の根拠規定あるいは従業員の個別の同意が必要です。就業規則の規定に基づき一方的に振替を命ずる場合には、①振替の必要性があること、②事前に振替の予告・通知がされていること、③振替休日が事前に特定されていることが必要ですし、振替日は上記1または2のルールに従って特定しなければなりません。

(2) 代休

代休とは、休日労働が行われた場合に、その代償として以後の特定の労働日を休みとするもので、前もって休日を振り替えたことにはなりません。したがって、休日労働として割増賃金を支払う必要があります。

また、代休を指定するためには、就業規則等の根拠規定あるいは従業員の個別の同意が必要です。代休は、使用者による労働義務の免除ですから、当然には無給になりません。代休日を無給とするためには、就業規則の根拠規定が必要です。

Ⅳ 賃金

Q5 賃金額についての基本的ルールを教えてください。

解説

1 賃金額の原則

使用されて労働することの対価を賃金といいます。賃金の額(賃金額)は、会社と従業員が契約によって自由に定めることができるのが原則です。

しかし、労働者保護の観点から2つの制限があります。

1つは、合意によって下回ることができない最低賃金の制限(労働基準法28条、最低賃金法)、もう1つは、時間外手当に関する制限です。

2 最低賃金

最低賃金法によって、会社が支払わなければならない賃金の最低額が定められています。

「最低賃金」は、正社員、派遣社員、契約社員、パートタイム労働者、アルバイト等の働き方の違いにかかわらずすべての従業員に適用されます。たとえば東京の令和3年1月時点の最低賃金(地域別)は、時給1013円です。たとえ従業員が同意したとしても、それより低い賃金での契約は認められません。

会社と従業員との間で、時給500円で働くことに同意しても、その合意は無効となり、最低賃金額と同額の約束をしたものとみなされます。

　最低賃金には、すべての従業員とその会社に適用される「地域別最低賃金」と、特定の産業に従事する従業員とその会社に適用される「特定最低賃金」があり、それぞれ都道府県ごとに決められています。両方の最低賃金が同時に適用される場合には、高い方の最低賃金が適用されます。

3　割増賃金の金額

　会社は、従業員に就業規則等で定めた所定労働時間を超えた労働（残業）を行わせた場合には、その分の賃金（残業代）を支払わなければなりません。しかし、この残業が法定の割増賃金の対象となる残業でなければ、就業規則等に従って通常の賃金を支払えば足ります。

　他方で、この残業が、法定労働時間を超える労働、法定休日における労働および午後10時から午前5時までの深夜の労働のいずれかに該当する場合は、通常の賃金に法律で定められた一定の割増率を乗じた割増賃金を支払わなければなりません（労働基準法37条）。

　法定の割増率は以下のとおりですが、この割増率を下回らない限り、割増率は自由に定めることができます。

第3章 労働時間、休日、賃金

割増賃金の種類と割増率

種類	支払う条件	割増率
時間外 (時間外手当・残業手当)	法定労働時間（1日8時間・週40時間）を超えたとき	25％以上
	時間外労働が限度時間（1か月45時間、1年360時間等）を超えたとき	25％以上(※1)
	時間外労働が1か月60時間を超えたとき（※2）	50％以上
休日（休日手当）	法定休日に勤務させたとき	35％以上
深夜（深夜手当）	22時から5時までの間に勤務させたとき	25％以上

（※1）25％を超える率とするよう努めること
（※2）中小企業は、2023年4月1日から適用

複合的な割増賃金の例

休日かつ時間外労働	35％以上	休日労働に対しては時間外労働を行っても割増率は増加しません
時間外かつ深夜労働	50％以上	
休日かつ深夜労働	60％以上	
1か月間の残業時間が60時間超かつ深夜労働	75％以上	

> **Q6** 当社は時間外手当として固定額の残業手当を支払っていますが問題はありますか。

解説

1 固定残業代の問題点

　時間外手当として定額を支払うこと（固定残業代制度）が禁止されているわけではありませんが、固定残業代が適法となるのは、固定された賃金額が実際に労働した時間数をもとに計算した法定割増賃金を常に上回っていることが条件です。固定残業代を採用する場合、固定額が法定割増賃金を下回る月と上回る月がありますが、前者の場合は法定割増賃金を超える固定額を支払わなければならず、後者の場合は法定割増賃金額を支払わなければなりませんので、固定残業代制は必然的に法定の割増賃金以上の賃金を保障する制度ということになります。

　しかし、実際には、固定残業代制度を悪用し、法定割増賃金の支払いを免れようとする会社が少なくありません。そのため、判例は、固定残業代制度の適法性については厳しい判断をする傾向にあります。

　仮に、固定残業代が割増賃金の支払いではないと判断された場合には、①支払済みとして処理していた割増賃金が支払われていなかったことになり、労働時間に応じた割増賃金の支払いを命じられることは当然ですが、それだけではなく、②従前固定残業代として支払っていた分を含めた給与合計額（「基本給＋固定残業代」）に対して法定の割増賃金を支払う必要があり、場合によっては、③付加金（労働基準法114条）の支払いを命じられることもあります。

　これらの金額が1人の従業員の分だけで数百万円に及ぶこともあ

りますので、従業員が100人いる会社であれば総額で数億円の負債を抱えているのと同じ状態ということになります。さらに、労働基準法の改正（令和2年4月1日より施行）によって現行法では、時間外手当の消滅時効が下記のとおり延長されましたので（労働基準法115条）、上記の潜在的負債の額は数倍になる可能性があります。

労働契約に関する債権の消滅時効等の期間に関する労働基準法の改正

	現行法	当面の間経過措置	改正法
労働者名簿等の保存期間(労働基準法109条)	3年	3年	5年
賃金請求権の消滅時効期間(労働基準法115条)	2年	3年	5年
付加金の請求期間(労働基準法114条ただし書)	2年	3年	5年
労災補償・年次有給休暇の請求権	2年（改正対象外）		
退職金	5年（改正対象外）		

　以上のことから、固定残業代制度を採用している場合には、それが適法になされているか否かを慎重に再検討する必要があります。

2　固定残業代が法定割増賃金の支払いとして有効と認められるための要件

　固定残業代が法定割増賃金の支払いとして有効と認められるための要件として、判例は、①支給される賃金のうち、どの部分が割増賃金に相当するのかが、金額、割合、時間等によって明確に区分した上で明示されていること（最判平成6年6月13日労判653号12頁、最判平成24年3月8日労判1060号5頁、最判平成29年7月7日労判1168号49頁）、②残業代の趣旨で支払われていることの2つを掲げています。

　要するに、法定の割増賃金以上の金額が毎月支払われていることが就業規則や給与明細書から客観的に判定できることが必要だとい

うことです。多くの事案において、基本給部分と割増賃金部分の区別が不明確であることを理由に、適法な割増賃金の支払いであるという会社側の主張が否定されていますので、固定残業代制度を採用する場合には慎重に制度設計をする必要があります。

3 別の業務手当を時間外労働の対価とすることの可否

割増賃金の算定方法は、労働基準法37条等に具体的に定められていますが、労働基準法37条は、労働基準法37条等に定められた方法により算定された額を下回らない額の割増賃金を支払うことを義務づける規定です。したがって、労働契約に基づき、労働基準法37条等に定められた方法以外の方法により算定される手当を、時間外労働等の対価として支払うことそれ自体が直ちに同条に反するものではありません（前掲最判平29年7月7日、最判平成30年7月19日裁判集民259号77頁参照）。たとえば、労働基準法37条の定める方法とは別の方法で算定した金額を「業務手当」として支払うこととし、これを時間外労働手当に充当するという制度がただちに違法になるわけではありません。他方で、別の方法で算定した手当を時間外手当に充当することが常に認められるわけではありません。問題はいかなる場合に認められるかです。

この点、判例は、当該手当が時間外労働の対価として支払われるものとされていることが必要であるとします。そして、当該手当がそのような趣旨で支払われるものとされているか否かは、当該労働契約に係る契約書等の記載内容のほか諸般の事情を考慮して判断すべきであり（前掲最判平成30年7月19日参照）、その判断に際しては、当該手当の名称や算定方法だけでなく、労働基準法37条の趣旨（時間外労働等について割増賃金を支払うべきことを使用者に義務づけているのは、使用者に割増賃金を支払わせることによって、時間外労

働等を抑制し、もって労働時間に関する同法の規定を遵守させるとともに、労働者への補償を行おうとする趣旨）を踏まえ、当該労働契約の定める賃金体系全体における当該手当の位置付け等にも留意して検討しなければならないとしています（最判令和2年3月30日民集74巻3号549頁）。

上記判例で問題となった賃金算定制度を単純化すると次のとおりです。

> ① まず、歩合給に相当する部分を売上高等によって算定する。
> ② 次に、①で算定した金額を、「労働基準法37条等に基づき算定される時間外手当に相当する時間外手当」と「それ以外の名称の手当」に分けて支払う（「それ以外の名称の手当」は、「①で算定した金額」から「労働基準法37条等に基づき算定される金額に相当する時間外手当」を控除した金額とする）。
>
> | 売上高等によって算定した金額 | | |
> |---|---|---|
> | (実際の法定時間外労働が長い場合) | | |
> | 時間外手当 | それ以外の名称の手当 | 総額は同じ |
> | (実際の法定時間外労働が短い場合) | | |
> | 時間外手当 | それ以外の名称の手当 | |

この賃金算定制度の場合、法定時間外労働が長ければ、「労働基準法37条等に基づき算定される金額に相当する時間外手当」（時間外手当）は増加しますが、その一方で、その分「それ以外の名称の手当」が減ることになります。要するに、法定時間外労働が増えても原則として賃金総額は変わらないという仕組みになっているのです。かかる仕組みを採用した制度の一事案について、判例は、法定の割増賃金の支払いには該当しないと判断したのです。この判例からすると、上記同様の仕組みを採用している会社は賃金制度の抜本的な見直しが必要になる可能性があります。

Q7 会社として時間外手当を減らしたいのですが、どのような方法がありますか。

解説

　当然のことですが、時間外手当を減らす方法としては、従業員の実際の労働時間を減らすしかありません。

　たとえば固定残業代制度は、法定の割増賃金以上の賃金を保障する制度であり、時間外手当を減らす機能はありません（Q6参照）。

　また、裁量労働制度、管理監督者制度、みなし労働時間の制度は、法定労働時間の制約が緩和される制度ですが、以下のとおり、適用される対象者は非常に限定されています。

　労働時間を減らすためには、①残業禁止命令を出すとともに、②実際にその命令どおりの運用を徹底することが重要です。

法定労働時間制度の例外を定める制度との対象者となる者

制度の種類	対象者
専門業務型裁量労働制度（労働基準法38条の3第1項1号）	特定の業務のみ（労働基準法施行規則24条の2の2第2項）
企画業務型裁量労働制度（労働基準法38条の4第1項1号）	事業運営に関する企画・立案・調査・分析の業務のみ
管理監督者制度（労働基準法41条2項）	労働条件の決定その他労務管理について経営者と一体的な立場にある従業員のみ
事業外労働のみなし制度（労働基準法38条の2第1項）	労働時間を把握できない特別の事情がある従業員
高度プロフェッショナル制度（労働基準法41条の2）	高度の専門的知識を必要とする特定の業務に就く従業員のみ

Q8 賃金の支払方法等に関する基本的なルールを教えてください。

解説

1 賃金の支払方法に関するルール

賃金とは、給料、手当、賞与その他名称の如何を問わず、労働の対償として使用者が労働者に支払うすべてのものを意味します（労働基準法11条）。たとえば、「賞与」という名称で支給している金員であっても、それが労働の対価として支払われていれば賃金に該当しますが、そうでない恩恵的な給付の場合は賃金に該当しないということになります。

賃金が全額確実に従業員に渡るように、賃金の支払方法にはルールがあり、次の4つの原則が定められています（労働基準法24条）。

(1) 通貨払いの原則

賃金は現金で支払わなければならず、現物（会社の商品等）で払ってはいけません。ただし、従業員の同意を得た場合は、その指定する銀行等の金融機関に対する振込みの方法によることができます。

(2) 直接払いの原則

賃金は従業員本人に払わなければなりません。親権者や後見人等の法定代理人や従業員の代理人への支払いは無効です。ただし、妻に対する支払い等使者に対する支払いは有効です。

従業員が賃金債権を第三者に譲渡した場合であっても、会社は従業員に賃金を支払わなければなりません（最判昭和43年3月12日民

集 22 巻 3 号 562 頁)。これに対して、国税徴収法や民事執行法に基づき賃金債権が差し押さえられた場合には、会社は行政官庁、差押債権者に支払わなければなりません。もっとも、従業員の生活保障の観点から一定の差押限度額が定められています。

(3) 全額払いの原則

賃金は全額残らず支払われなければなりません。したがって「積立金」等の名目で強制的に賃金の一部を控除(天引き)して支払うことは禁止されています。ただし、所得税(所得税法 183 条)や社会保険料(厚生年金法 84 条等)等の源泉徴収等、法令で定められているものの控除は認められています。それ以外は、従業員の過半数で組織する労働組合、過半数組合がない場合は従業員の過半数を代表する者と労使協定を結んでいる場合には控除が認められます(労働基準法 24 条 1 項ただし書)。

(4) 毎月 1 回以上定期払いの原則

賃金は、毎月 1 回以上、一定の期日を定めて支払わなければいけません。したがって、「今月分は来月 2 か月分まとめて払うから待ってくれ」ということは認められませんし、支払日を「毎月 20 日〜25 日の間」や「毎月第 4 金曜日」等変動する期日とすることは認められません。ただし、臨時の賃金や賞与(ボーナス)は例外であり、上記原則は適用されません。

2 休業手当

従業員が労務の提供をなしえなくなることを休業といいます。この休業が使用者側の帰責事由に基づいて生じた場合(機械の検査、原料の不足等)には、使用者は休業期間中従業員に対して平均賃金

の100分の60以上の手当を支払わなければなりません（労働基準法26条）。これを休業手当と呼んでいます。

他方で、民法の原則によりますと、休業が、使用者の「責めに帰すべき事由」により発生している場合には、使用者は平均賃金の全額の支払義務を負います（民法536条2項）。

そこで、休業の場合、民法に基づき全額の支払義務を負う場合と休業手当の支払いで足りる場合のメルクマールが問題となります。この点、休業が使用者の「故意・過失」に基づくと判断される場合には全額の支払義務を負い、他方で、そこまでではない経営上の障害による休業の場合には休業手当のみ発生すると解されています（最判昭和62年7月17日民集41巻5号1283頁）。

3 時効

労働基準法の改正（令和2年4月1日より施行）によって賃金請求権の消滅時効が下記のとおり延長されました（労働基準法115条）。労災補償・年次有給休暇の請求権および退職金については改正の対象外です。

労働契約に関する債権の消滅時効等の期間に関する労働基準法の改正

	現行法	当面の間 経過措置	改正法
労働者名簿等の保存期間(労働基準法109条)	3年	3年	5年
賃金請求権の消滅時効期間(労働基準法115条)	2年	3年	5年
付加金の請求期間(労働基準法114条ただし書)	2年	3年	5年
労災補償・年次有給休暇の請求権	2年（改正対象外）		
退職金	5年（改正対象外）		

4 賃金支払いのルールに違反した場合

　上記の賃金支払いのルールに違反した場合、30万円以下の罰金に処すると規定されています（労働基準法120条1号）。

Q9 従業員に対して有する債権を賃金と相殺することはできますか。「先月分の給料の計算を間違い100円多く支払ってしまったので、今月分の給与から控除する」場合はどのように考えればよいですか。

解説

1 賃金債務との相殺の可否

従業員に対して有する債権と賃金債務との相殺を会社の一方的意思表示によって行うことはできません（労働基準法17条）。

もっとも、上記相殺は、従業員の同意があれば有効になります（最判平成2年11月26日民集44巻8号1085頁）。ただし、この同意は、従業員の自由な意思に基づくものでなければなりません（第7章Q18を参照してください）。

2 調整的相殺の可否

「先月分の給料の計算を間違い100円多く支払ってしまったので、今月分の給与から控除する」という行為は、法的には賃金債権と不当利得返還請求権の相殺ですので、本来は認められないはずですが、①過払いの時期と相殺の時期が接着しており、②従業員の経済生活の安定を脅かすおそれのない場合（金額が僅少である場合）等には、例外的に相殺が認められます（最判昭和44年12月18日民集23巻12号2495頁）。

したがって、設例の程度の調整的相殺は有効です。

Q10 時間外手当（割増賃金）の請求訴訟において労働時間はどのように認定されるのですか。

解説

　時間外手当の請求訴訟においては、実労働時間が争点となります。

　判例は、タイムカード等の客観的な記録によって時間管理がなされている場合には、特段の事情がない限り、タイムカードの打刻時間をもって実労働時間と認定します（東京地判平成17年12月28日労判910号36頁、東京地判平成30年3月9日労経速2355号31頁）。また、タイムカード等で時間管理をしていない事案においては、メールの送信時刻やその時刻に近接するシャットダウンログの時刻から終業時刻を推認している事案もあります（東京高判平成31年3月28日労判1204号31頁）。

　これに対して、従業員等が作成した日報等については、その信用性を肯定して日報等によって実労働時間を認定する判例（大阪高判昭和63年9月29日労判546号61頁）もありますが、その信用性を否定する判例（大阪地判平成13年7月19日労判812号13頁）もあります。

　また、タイムカードや日報等の直接証拠がない事案であっても、もろもろの間接的な事情を考慮して実労働時間を推認する傾向があります。たとえば、会社がタイムカード等による出退勤管理をしていなかったことをもって従業員に不利益に扱うべきではなく、会社が、休日出勤・残業許可願いを提出せずに残業している従業員が存在することを把握していながらこれを放置した場合には、ある程度概括的に時間外労働を推認するほかはないとして、平均して午後9時までは就労していると認定した大阪高判平成17年12月1日（労判933号69頁）等は、従業員の立証負担を軽減した判例といえます。

Q11 管理職については割増賃金を支払わなくてもよいですか。

解説

1 労働基準法上の「管理監督者」に該当する場合

「管理監督者」(労働基準法41条2号)には、労働基準法所定の労働時間、休憩および休日に関するルールは適用されませんので、割増賃金を支払う必要はありません。

しかし、「管理監督者」に該当するための要件は厳格で、「部長」や「店長」という職位の従業員であっても管理監督者に該当するとは限りません。「管理監督者」に該当するかどうかは、役職名ではなく、その職務内容、責任と権限、勤務態様等の実態によって判断されます。

2 管理監督者に該当するための要件

「管理監督者」の意味について、通達(昭和22年9月13日発基第17号、昭和63年3月14日基発第150号)は、「労働条件の決定、その他労務管理について経営者と一体的な立場に在る者」としており、判例の多くは、この通達をふまえて、以下の表の①～③の要件の充足を要求しています。

管理職であっても、このような厳格な要件を充足しない限り、会社は割増賃金や休日手当の支払義務を負います。管理監督者の範囲を検討する場合、厚生労働省の策定した「労働基準法における管理監督者の範囲の適正化のために」(平成20年9月)が参考になります。

また、裁判例(東京地判平成20年9月30日労判977号74頁、東京地判平成21年3月9日労判981号21頁、横浜地判平成31年3月26日

労判 1208 号 46 頁等）もおおむね以下の①ないし③の要件に基づき管理監督者該当性の有無を判断していると解されます。

　裁判例は管理監督者性の要件を厳格に解する傾向がありますが（東京高判平成 30 年 11 月 22 日労判 1202 号 70 頁、横浜地判平成 31 年 3 月 26 日労判 1208 号 46 頁等）、その背景には、「管理監督者が時間外手当支給の対象外とされるのは、その者が、経営者と一体的な立場において、労働時間、休憩及び休日等に関する規制の枠を超えて活動することを要請されてもやむを得ないものといえるような重要な職務と権限を付与され、また、そのゆえに賃金等の待遇及びその勤務態様において、他の一般労働者に比べて優遇措置が講じられている限り、厳格な労働時間等の規制をしなくてもその保護に欠けるところがないという趣旨に出たものと解される。」（東京高判平成 17 年 3 月 30 日労判 905 号 72 頁）という考え方があるからだと思われます。

管理監督者に該当するための要件

経営者との一体性 事業主の経営上の決定に参画し、労務管理上の決定権限を有していること	①　会社の経営会議等の事業経営に関する決定過程に関する発言力・影響力の有無・程度。ただし、近時は、会社全体でなくても、重要な組織部門であれば、その部門の管理を通じて経営に参画することでも足りるとする傾向あり ②　部下に対する採用、解雇、人事考課等の人事権限、部下の勤務割当の決定権限の有無・内容 ③　マネージャー業務以外の業務の有無・程度

労働時間の裁量 自己の労働時間について裁量を有していること	始終業時間がどの程度厳格に取り決められ、管理されていたか。日々の業務、遅刻、早退の場合の賃金控除の有無、業務予定や結果の報告の要否
賃金等の待遇 管理監督者にふさわしい賃金等の待遇を得ていること	一般従業員と比較して優遇されているかどうか

V その他

Q12 コロナ禍に関連して従業員の出勤を控えさせようと思います。この場合、給与は通常通り支払わなければならないのでしょうか。

解説

1 コロナ禍を踏まえて出勤を控えさせる方法

コロナ禍に関連して従業員の出勤を控えさせる方法としては、在宅勤務を命ずる方法と一時的に休業(一時帰休。休みを命ずる)させる方法の2つがあります。これら2つの方法は法的な意味がまったく異なりますので、その法的意味を正しく理解したうえでどちらかの方法を選択する必要があります。

2 在宅勤務の方法

在宅勤務は就業場所を自宅とすることを除き雇用契約に基づく権利義務の内容を変更するわけではありません。したがって、通常どおりの賃金支払義務が発生します。なお、在宅勤務の場合の賃金等について、あらかじめ就業規則等において特別の定めをしている場合にはその定めのとおりの賃金を支払うことになります。

また、労働者から個別に同意を得て、在宅勤務の場合の賃金を減額する方法も有効です。もっとも、この方法の場合、減額後の賃金の内容が就業規則に抵触する場合には就業規則の変更をする必要が

あります（就業規則に定める労働条件に達しない労働契約は無効となる〔労働契約法12条〕ため）。また、労働者の同意はいわゆる「真の同意」（第5章Q2参照）でなければなりませんので、きちんと事情を説明して同意を取得することが必要です。

3 休業（一時帰休）の場合

休業は就業をさせず一定期間休みとするものです。ノーワークノーペイの原則からすると、このような場合に賃金支払債務が消滅しそうなものですが、そうではありません。

賃金支払債務が消滅するのは、休業が不可抗力による場合だけで、使用者の「責に帰すべき事由」による休業の場合は、平均賃金の百分の六十以上の賃金（手当）を支払わなければなりません（労働基準法26条）。

(1) 不可抗力による休業

不可抗力による休業の場合、賃金支払債務は発生しません。不可抗力といえるためには、以下の2つの要素をいずれも充足する必要があります（厚生労働省「新型コロナウイルスに関するQ＆A（企業の方向け）令和2年7月10日時点版」の問7）。

① 休業の原因が事業の外部より発生した要因に基づくものであること

　　例　緊急事態宣言など、営業を自粛するよう協力依頼や要請などを受けた場合

② 事業主が通常の経営者としての最大の注意を尽くしてもなお避けることができない要因であること（使用者として休業を回避するための具体的努力を最大限尽くしているといえる必要がある）

例　在宅勤務等の方法により業務に従事させることを十分に検討したが、それでもやはり休業せざるを得ない場合

　以上のとおり、不可抗力による休業として認められる場合は相当限定されていると考えられます。そのため、コロナ禍に関連して営業自粛等により休業とした場合であっても、営業自粛要請の対象となっていない業種の場合には、不可抗力による休業とは認められない可能性があると思われます。また、仮に、営業自粛等の要請を受けたとしても、在宅勤務等の可能性を検討せずになされた場合には不可抗力であるとは認められない可能性があります。

(2)　使用者の「責に帰すべき事由」による休業

　不可抗力による休業と認められない場合は、使用者の「責に帰すべき事由」による休業になります。この場合には、平均賃金6割以上の賃金（手当）を支払わなければなりません。具体的に何割の賃金を支払わなければならないかについては場合を分けて考える必要があります。

　まず、就業規則に休業の場合の賃金の定めがある場合には、就業規則の定める割合の賃金を支払うことになります。もっとも、就業規則において休業の場合の賃金として6割未満の金額を定めることはできません（労働基準法26条）。

　次に、就業規則に休業の場合の賃金の定めがない場合は、①民法536条2項の定める「責めに帰すべき事由」が認められる場合は10割支払わなければなりませんが、②労働基準法上の「責に帰すべき事由」しか認められない場合には6割以上の賃金を支払えば足ります。

　たとえば、緊急事態宣言の休業要請の対象業種ではなく、営業自体は継続しているにもかかわらず、在宅勤務の可能性を十分に考慮

せずに一部の従業員に対してだけ休業命令を出した場合には、民法上の帰責性が認められる可能性があると解されます。他方で、緊急事態宣言による休業要請の対象業種であれば、民法上の帰責性が認められることはほとんどないと解されますので、前述の不可抗力による場合を除き、6割以上の休業手当を支払えばよいことになります。

(3) **コロナ禍で経営状況が悪化したことに伴い休業命令を出す場合**

コロナ禍で経営状況が悪化したことに伴い休業命令を出す場合であっても、上記の不可抗力であると認められるような特別な事情がない限り、6割以上の賃金を支払う必要があります。

問題は、民法上の帰責性の有無（10割の支払いの要否）ですが、この点に関しては、「帰休制実施によって労働者が被る不利益の程度、使用者側の帰休制実施の必要性の内容・程度、労働組合等との交渉の経緯、他の労働組合または他の従業員の対応等を総合考慮して判断すべきであり、合理性がある場合は、使用者が帰休制を実施して労働者から労働の提供を拒んだとしても、民法536条2項にいう『債権者ノ責ニ帰スヘキ事由』が存在しないものというべきである」とした判例（横浜地判平成12年12月14日労判802号27頁）が参考になります。

なお、雇用調整助成金等の特例措置がなされている場合があるので、休業手当を支払う場合にはそのような特例措置を適用することができないかを検討してください。

Q13 経営状態が苦しいので人件費を削減したいと考えていますが、どのような方法があるでしょうか。また、それぞれの方法を実施する際の注意点を教えてください。

解説

1 人件費を減額する方法

人件費を削減する方法には、従前の契約条件の枠内で減額する方法（不利益変更ではない方法）と従前の契約条件を不利益に変更する方法があります。

従業員の権利保護の観点から、まずは前者の方法を検討し、それでは人件費削減の目標が達成できない場合に後者の方法を検討するという手順になります。

2 従前の契約条件の枠内の方法（不利益変更ではない方法）

(1) 時間外労働の削減

従業員は、時間外労働をする権利を有していませんから、時間外労働の削減は労働条件の不利益変更には該当しません。時間外労働の削減は、法的リスクや労働者への不利益の程度が最も少ない方策ですから、第一に検討すべき人件費削減の方策といえます。時間外労働削減の方策としては、残業禁止を命じたり、その旨を就業規則で定めたりするのが一般的です。残業禁止命令に関しては Q2 を参照してください。

(2) 賞与の減額・不支給

賞与について、就業規則等に定めがない場合や就業規則に「会社

の業績等を勘案して定める」旨の抽象的な規定があるにすぎない場合は、原則として賞与に権利性が認められませんから（賃金には該当しない）、賞与を減額・不支給にしたとしても不利益変更の問題は生じません。よって、このような賞与制度を採用している会社においては、賞与の減額・不支給は、他の方策よりも優先的に検討されるべき方策です。

これに対し、就業規則等に、支給額が具体的に算定できる程度の算定基準が定められている場合（「月額の基本給の2.5か月分を支払う」）には、賃金として賞与が保障されています。そのため、賞与の減額・不支給は賃金の引下げ（労働条件の不利益変更）に該当し、厳格な要件を充足する必要があります（後述3参照）。

なお、賞与について抽象的な規定しかないため原則として権利性が認められない会社においても、当該年度について支給基準を決定し、その基準に基づく査定が行われた時点では、賞与に権利性が認められますので、賞与の減額は労働条件の不利益変更に該当します。

(3) 休業（一時帰休）

休業とは、就業をさせず一定期間について休みとすることです。休業は、労働をさせない分の賃金を減額することで、労働をさせつつ賃金を減額する給与の引下げとは本質的に異なります。当然ですが、従業員に及ぼす不利益の程度は、給与の引下げに比べると休業の方が相対的に小さいということができます。そのため、景気悪化により業務量が減少した場合には、賃金の引下げではなく、まず、休業を検討すべきです。

休業に関してはQ12を参照してください。

3 従前の契約条件を不利益変更する方法

従前の契約条件を不利益変更する方法の典型例として、賃金（給与や退職金）の引下げの方法があります。

賃金の引下げは、最低賃金を下回らない限り、労働基準法（労働基準法28条、最低賃金法）には抵触しません。なお、労働基準法91条は減給の上限として「賃金総額の10分の1」と定めていますが、これは制裁（懲戒処分）としての減給の上限を定めるもので、人件費削減のための給与の引下げの場合に適用される規定ではありません。

次に、賃金の引下げは労働条件の不利益変更に該当するため、その方法としては、①各従業員から個別同意を得る方法、②就業規則の不利益変更の方法、③労働協約を締結する方法の3つの方法が考えられます。

この点、賃金は、労働者にとって重要な権利、労働条件ですので、①ないし③のどの方法を採用するにせよ、その引下げの要件は厳格に判断されます（①の各従業員から個別同意を得る方法については第5章Q2を、②の就業規則の不利益変更の方法については第5章Q4を参照してください）。以下の判例が参考になります。

(1) 個別同意を得る方法

〔最判昭和48年1月19日民集27巻1号27頁〕
単に書面で同意があっただけでは足りず、「意思表示の効力を肯定するには、それが上告人の自由な意思に基づくものであることが明確で……自由な意思に基づくものであると認めるに足る合理的な理由が客観的に存在」しなければならないと判示しています。

(2) 就業規則の不利益変更による方法

〔最判平成12年9月7日民集54巻7号2075頁〕

「特に、賃金、退職金など労働者にとって重要な権利、労働条件に関し実質的な不利益を及ぼす就業規則の作成又は変更については、当該条項が、そのような不利益を労働者に法的に受忍させることを許容することができるだけの高度の必要性に基づいた合理的な内容のものである場合において、その効力を生ずるものというべきである」と判示しています。

(3) 労働協約を締結する方法

経営危機の打開策として賃金引下げ等の不利益措置を講ずる場合には、相当に慎重な手続（組合大会の決議等）を踏まなければならないとして、手続瑕疵を理由に効力を否定した裁判例として東京高判平成12年7月26日労判789号6頁、広島高判平成16年4月15日労判879号82頁があります。

なお、具体的に発生した賃金請求権を事後に締結された労働協約の遡及適用により処分または変更することは認められません（最判平成8年3月26日民集50巻4号1008頁、最判平成31年4月25日裁時1723号1頁）。

4 整理解雇

不況や経営不振などの理由により、解雇（労働契約法16条）により人員削減を行う方法です。整理解雇は、できるだけ回避すべきであり、最後に検討すべき手段です。整理解雇については、第6章Q9、Q10を参照してください。

Q14 時間外手当の支払いを怠った場合、会社はどのような責任を負いますか。会社の役員が責任を負う場合もありますか。

解説

1 時間外手当

時間外手当とは、就業規則等で定めた所定労働時間を超えた労働（残業）のことです。

この時間外手当は、強行法規（労働基準法と最低賃金法）に反しない範囲であれば、就業規則や労働者との個別合意により自由に定めることができます。

たとえば、始業時刻を午前9時、終業時刻を午後5時、休憩1時間と定め、かつ、午後5時から午後6時まで残業した場合の1時間分の賃金は通常の賃金と同額を支払う内容の就業規則を定めても労働基準法には違反しません（1日の労働時間が8時間以内なので）。これに対し、午後6時以降の残業は1日の労働時間が8時間を超える部分ですので、通常の賃金の25％以上の割増賃金を支払わなければ労働基準法に違反します。そして、労働基準法を下回る内容の合意は無効となり、会社は労働基準法に従い割増賃金を支払う義務を負います。

2 時間外手当の支払いを怠った場合の会社の責任

(1) 民事上の責任

時間外手当の支払いを怠った場合、会社は当該未払分の賃金に加えて、6％の遅延損害金の支払義務を負います。

また、会社の時間外労働未払いが悪質な場合は、「未払い残業代

の2倍」を限度に付加金の支払いが命じられることがあります（労働基準法114条）。ただし、この付加金は訴訟（労働審判手続は含まれません）において裁判所から支払いを命ぜられた時点で初めて発生するものですし、訴訟の審理係属中（事実審の口頭弁論終結時まで）に支払えば免責されます（最判平成26年3月6日判夕1400号97頁）。

(2) 行政・刑事上の責任

時間外手当の未払いの有無は、労働基準監督署による調査（労働基準法101条1項の臨検）の対象であり、これが発覚した場合には是正勧告（行政指導）がなされます。

会社がこの行政指導に従わない場合等には、刑事事件として起訴するかどうかを判断するために送検され（労働時基準法102条）、30万円以下の罰金刑を課せられることがあります（労働基準法37条、119条、121条）。また、送検された場合、厚生労働省のHPで社名が公表されてしまいます。

3 会社役員等の責任

(1) 民事上の責任

取締役、監査役、執行役等の役員等が会社に対して負う善管注意義務（民法644条）および忠実義務（会社法355条）には、会社に労働関係法規上の義務を遵守させる任務が含まれると解されており、その任務を悪意または重過失により懈怠した場合には、当該役員は労働者に対して生じた損害の賠償をすべき義務を負うと解されます（会社法429条1項）。

参考になる裁判例としては、従業員が時間外労働をしているとい

う勤務実態を認識しつつ、時間外手当（残業手当）を支給するに当たり、残業時間をきちんと調べていなかった取締役について、時間外手当の未払いの発生について少なくとも重大な過失があったと認定し、会社法 429 条 1 項に基づいて損害賠償請求を認めた判例（東京高判平成 30 年 6 月 27 日公刊物未登載）があります。

(2) 刑事上の責任

時間外労働の未払いに関しては、使用者は 6 か月以下の懲役または 30 万円以下の罰金を負うと定められています（労働基準法 119 条、121 条）。この責任を負う「使用者」には、経営責任者だけではなく、労働基準法の規制する事項について実際上の権限と責任を有する者が含まれます（労働基準法 10 条）。

Ⅵ 賞与

> **Q15** 賞与の基本的ルールを教えてください。

解説

1 賞与に関する基本的なルール

賞与を支給するかどうか、あるいは、いくら支給するかは、原則として、会社が自由に決めることができます。

就業規則に「賞与は会社の業績等を勘案して定める」との規定があったとしても、それだけ賞与請求権は発生しません。各時期の賞与ごとに、会社がその業績等に基づき賞与の算定基準を決定し、かつ、従業員の成績査定を行ってはじめて賞与請求権が発生します。例外的に、賞与の算定基準・支給額について労使慣行が認められる場合には、その労使慣行の範囲内で賞与請求権が発生する場合はありますが、ごく例外的な場合に限られます。

これに対して、就業規則等に、支給額が具体的に算定できる程度の算定基準が定められている場合（「月額の基本給の2.5か月分を支払う」）には、労働契約において賃金が保障されていますので、会社が改めて算定基準や成績査定をする必要はなく、その他の支給の要件を満たした場合に賞与請求権が発生します。

2 解雇が無効になった場合、賞与請求権が認められるか?

上記1で述べたところは解雇が無効となった場合の従業員の未払賃金を算定する際にも妥当します。解雇された従業員に対して会社が成績の査定をしたと考えることはできませんから、原則として賞与請求権は発生しませんが（東京地判平成7年12月25日労判689号31頁）、例外的に、就業規則等に、支給額が具体的に算定できる程度の算定基準が定められている場合には、賞与請求権が発生すると解されています。もっとも、解雇が不法行為に該当する場合には、賞与を受ける機会を奪われたことに対する苦痛も考慮に入れて慰謝料の額が決定されることがあります（上記東京地裁判決）。

3 支給日の在籍を賞与支給要件とすることの可否

賞与の支給要件をどのように定めるかは、当事者の自由です。実務では、「賞与は、支給日に在籍している者に対し支給する」という定めをすることが多いと思いますが、このような定めも有効です（最判昭和57年10月7日労判399号11頁）。

Ⅶ 有給休暇

Q16 有給休暇についての基本的なルールを教えてください。

解説

1 有給休暇の発生

有給休暇とは一定の要件を満たした場合に認められる休暇です。

労働基準法39条において、最低限付与しなければならない法定有給休暇（たとえば、①雇入れの日から6か月間継続勤務し、②その間、全労働日の8割以上出勤した場合、10日分の有給休暇が発生します）についての規定がありますが、これを上回る有給休暇（法定外有給休暇）を会社が付与することは自由です。

2 有給休暇の取得

有給休暇の日は、従業員の指定（時季指定）によって具体的に確定します。労使協定を締結した場合には、有給休暇を時間単位で取得することも可能です（労働基準法39条4項）。

会社は、原則として、従業員の指定した時季に有給休暇を与えなければなりませんが（労働基準法39条5項本文）、例外的に、「事業の正常な運用を妨げる場合」（同項ただし書）には、他の時季に変更することができます（時季変更権）。もっとも、時季変更権を行使する前に、使用者としてはまず代替要員の確保の努力をしなければな

りません（最判昭和62年7月10日民集41巻5号1229頁、最判昭和62年9月22日労判503号6頁）。長期休暇の申請に対する時季変更権については、使用者にある程度の裁量が認められると解されています（最判平成4年6月23日民集46巻4号306頁）。

就業規則等によって時季指定を休暇日の一定日数前までになすことを規定することも可能です（最判昭和57年3月18日民集36巻3号366頁）。

10日以上の年次有給休暇が付与される従業員については、最低でも5日間は実際に有給休暇を取得させなければならず、これを下回るような場合には、会社が時季を指定して与えなければなりません（労働基準法39条7項）。

3　計画年休

計画年休とは、有給休暇のうち5日を超える部分について、会社が有給休暇取得日をあらかじめ指定する制度ですが、その要件として労使協定を締結する必要があります（労働基準法39条6項）。

4　未消化の年次有給休暇

未消化の有給休暇は、発生から2年で時効消滅します（労働基準法115条）。労働基準法によって発生する日数の有給休暇に関しては買取りをすることはできません（労働基準法39条、昭和30年11月30日基収第4718号）。

もっとも、法定外有給休暇、時効消滅した有給休暇、従業員の退職時の有給休暇の買取りは適法です。

第4章

人事権の行使

I
業務命令

Q1 業務命令はどのような場合に出すことができますか。従業員が業務命令に従わない場合にはどのような対応をすべきですか。

解説

1 どのような場合に業務命令を出すことができるか？

会社が、業務の全般について従業員に対して必要な指示・命令を発することを業務命令といいます。

業務命令を出すことができるか否かは、おおむね以下の基準で判断してください。

① 労働契約を締結するにあたって、従業員が「そのような業務命令を出されることがあるだろう」と通常想定することができる事項、および法律に根拠規定がある事項については、就業規則の根拠がなくても業務命令を出すことができます。

前者の例としては、宅配業において「この荷物10個をA宅まで届けてください」という業務命令があります。業務それ自体の指示であり、従業員もこのような業務命令を出されることは当然想定していますから、就業規則の根拠規定は不要です。

後者の例としては、定期健康診断の受診命令があります（労働安全衛生法66条）。

② 労働契約を締結するにあたって、従業員が想定していないよ

うな事項について業務命令を出すには、就業規則等に根拠規定が存在することが必要です。

　たとえば、(定期健康診断以外の)医療機関に対する受診命令(最判昭和61年3月13日労判470号6頁)は、就業規則に根拠規定(たとえば、「会社が命じた場合には医療機関を受診する」旨の規定)が存在することが必要です。

③　①または②の業務命令の要件を満たす場合であっても、例外的に業務命令が違法となる場合があります。

　(ⅰ)違法・不当な目的をもってなされた業務命令、(ⅱ)社会通念から逸脱した過酷な業務命令、(ⅲ)従業員の人権を不当に侵害する業務命令は、権限を濫用するものとして違法となります(最判平成5年6月11日労判632号10頁)。もっとも、(ⅰ)から(ⅲ)に該当すると判断されるのは例外的場合ですので、業務命令を出すことに対して過度に慎重になる必要はありません。

(ⅰ)　違法・不当な目的をもってなされた業務命令としては、不当労働行為(この言葉の意味は第13章Q2を参照してください)に該当するような場合や退職勧奨に従わない従業員に対する嫌がらせ目的の業務命令(東京地判平成7年12月4日労判685号17頁)があります。

(ⅱ)　社会通念から逸脱した過酷な業務命令の例としては、たとえば、他国から危害を被る危険のある地域での勤務を命ずる業務命令があげられます(最判昭和43年12月24日民集22巻13号3050頁)。

(ⅲ)　従業員の人権を不当に侵害する業務命令としては、たとえば、口ひげを剃るように命じた業務命令(東京地判昭和55年12月15日労民集31巻6号1202頁)や、教育と称して就業規則の全文の写しを命ずる業務命令(仙台高秋田支判平成4年12月25日

労判 690 号 13 頁）があります。

2　従業員が業務命令に従わない場合の対応

　口頭で業務命令を出した場合には、従業員が業務命令に従わない意向を示した時点で、改めて書面で業務命令を出してください。将来訴訟になった場合に、業務命令の有無自体が争いになることがあるからです。

　従業員が業務命令に従わない場合には、懲戒処分をすることが可能です。懲戒処分の相場感については第 7 章 Q13 を参照してください。

業務命令の可否

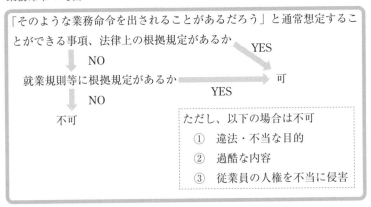

> **Q2** 以下の業務命令は適法ですか。
> ① 女性社員にお茶くみを命ずる。
> ② 時間外労働を命ずる。
> ③ 金髪をやめて、黒髪にするように命ずる。
> ④ 始末書の提出を命ずる。
> ⑤ 所持品検査を受けることを命ずる。

解説

1 女性社員にお茶くみを命ずる

　まず、お茶くみが、労働契約を締結するにあたって、従業員が「そのような業務命令を出されることがあるだろう」と通常想定することができる事項であれば、就業規則に根拠規定がなくても、お茶くみを命ずることができます。たとえば、クライアントを会議室に迎える受付スタッフの場合には、自己の職務にはクライアントに対するお茶くみ業務が含まれているであろうと通常想定することができますので、会社は、就業規則に根拠規定がなくてもお茶くみを命ずることができます。

　次に、従業員が「お茶くみの業務命令を出されることがあるだろう」と通常想定することができない場合でも、就業規則や労働契約にその旨の規定があれば業務命令を出すことができます。

　他方で、上記のような事情がない場合には、女性社員にお茶くみを命ずることはできないと解されます（雇用機会均等法に反する可能性もあります）。

2 時間外労働を命ずる

　違法な業務命令を出すことはできませんから、法定時間外労働の業務命令を出すためには、その前提として、三六協定を締結し、か

つ、労働基準監督署へ届出をすることが必要です。三六協定の締結・届出を行っていない場合は、従業員が個別に同意したとしても時間外労働を命ずることはできません（第3章Q1を参照してください）。

次に、時間外労働が、従業員が「そのような業務命令を出されることがあるだろう」と通常想定することができる事項に該当するかどうかですが、必ずしもそのように解することはできませんから、就業規則等において時間外労働を命ずることができる旨の根拠規定が必要です。就業規則に根拠規定があれば、従業員の個別の同意がなくても、時間外労働を命ずることが可能です（最判平成3年11月28日民集45巻8号1270頁）。

3　金髪をやめて、黒髪にするように命ずる

就業規則に根拠規定がない場合にはそのような業務命令を出すことはできません。

服装、頭髪等はもともと個人の趣味・嗜好に属する事柄であり、本来的には各人の自由ですが、会社が、経営の必要上から服装、頭髪等に関して就業規則で合理的な規律を定めた場合には、この規定に基づいて業務命令を出すことが可能です。

もっとも、就業規則で定めた規律それ自体が合理的な場合でも、個人の人格や自由に関する事柄ですので、会社の円滑な運営上必要でかつ合理的な範囲を超える命令については許されないと解されます（福岡地小倉支決平成9年12月25日労判732号53頁、東京地判昭和55年12月15日労判354号46頁、大阪高判平成22年10月27日労判1020号87頁）。

したがって、会社の品位保持や取引先との関係で黒髪にする必要があり、かつ、会社経営に悪影響を及ぼす具体的な危険がある場合であれば、就業規則の規定に基づいて金髪を改めるよう命令を出す

ことができると思われますが、実際にはそのような必要性、具体的な危険が認められる場合はまれであると思われます。

そのため、個人の人格や自由に関する事柄については、まずは、業務命令としてではなく、従業員に対して、会社の考えを説明し、任意に改善するよう求めた方がよいでしょう。

4　始末書の提出を命ずる

始末書の提出の強制は個人の良心の自由に反するという側面があるため、就業規則にその旨の規定がある場合でも、業務命令を出すことはできないと考えます（大阪高判昭和53年10月27日労判314号65頁）。もっとも、上司が指導監督のために始末書の提出を求めることそれ自体は違法ではありません。その場合、業務命令を出すのではなく、始末書提出の必要性を説明し、任意に提出するよう求めてください。

5　所持品検査を受けることを命ずる

就業規則の根拠規定なしに所持品検査を受けることを命ずることはできません。

就業規則に根拠規定があっても、所持品検査は、従業員の人権侵害のおそれを伴うものですから、認められる場合は限定的です。具体的には所持品検査を必要とする合理的理由があること、一般的妥当な方法と程度であること、制度として職場従業員に対して画一的に実施されるものであることが必要です（最判昭和43年8月2日民集22巻8号1603頁）。

たとえば、ある特定の従業員が犯罪の嫌疑がある場合であっても、これに対して所持品検査をすることは、犯罪の捜査と同じとなってしまいますので認められません。

> **Q3** 従業員の私用電話や電子メールを禁止することはできますか。また、電子メールをモニタリングすることはできますか。

解説

1 私用電話や私用メールの禁止

会社は、就業規則等によって、従業員の私用電話や私用メールを制限することができます。また、むやみやたらと私用電話や私用の電子メールをしてはいけないことは社会常識ですから、「そのような業務命令を出されることがあるだろう」と通常想定することができる事項に該当すると考えることができますし、従業員の職務専念義務を根拠に業務命令を出すことも可能です。

2 電子メールのモニタリング

従業員の私物であるパソコンにおいて行われる電子メールについては、理由がどうあれ、モニタリングすることはできません。ここでの問題は、会社が従業員に貸与しているパソコンに対して行われる電子メールのモニタリングの可否です。

会社が貸与したパソコンであっても、従業員のメールのモニタリングは、個人情報保護法（同法15条、16条1項、18条、23条1項）および従業員のプライバシー侵害の2つの問題が生じる可能性があります。そのため、あらかじめ、①モニタリングをする目的を特定し、従業員に明示し、②就業規則に根拠規定（いわゆるモニタリング規定）を定めておくべきです。

もっとも、従業員のプライバシー（人権）にかかわることですので、このような方策を講じたからといって、モニタリングが無制限に許されるわけではありません。①監視する職務上の必要性がある

こと、および、②職務上対象者を監視する立場にある者が行うこと等、従業員のプライバシーを不当に侵害しないように実施しなければなりません。

　また、就業規則等にモニタリング規定が存在しない場合であっても、たとえば、従業員の不正行為の調査のために当該従業員のメールを閲覧することも許容される場合があります。判例は、かかるメールの閲覧について、使用者側の行為の目的、態様等と従業員の被る不利益を比較衡量したうえで、社会通念上相当な範囲を逸脱したものと認められる場合に限り、公序に反するものとしてプライバシー権侵害に該当すると解しています（東京高判平成17年3月23日労判893号42頁、東京地判平成16年9月13日労判882号50頁、東京地判平成13年12月3日労判826号76頁）。

Q4 どのような場合に出勤停止・自宅待機を命ずることができますか。

解説

1 原則

　出勤停止には、懲戒処分としての出勤停止と人事処分としての出勤停止（自宅待機）があります。

　懲戒処分としての出勤停止は就業規則に根拠規定があることおよび懲戒処分をするだけの合理性と相当性が必要です（懲戒処分としての出勤停止命令は第 7 章 Q9 を参照してください）。

　人事処分としての出勤停止（自宅待機）は、就業規則に根拠がなくても命ずることができます。従業員には就労請求権がないからです（東京高決昭和 33 年 8 月 2 日労民集 9 巻 5 号 831 頁）。また、出勤停止（自宅待機）については、会社に比較的広い裁量が認められます（東京高判平成 2 年 11 月 28 日労民集 41 巻 6 号 980 頁、神戸地判平成 3 年 3 月 14 日労判 584 号 61 頁）。

　ただし、人事処分としての出勤停止（自宅待機）の場合、原則として、賃金は出勤した場合と同様に支払う必要がありますが（もっとも、この場合であっても実額補てんのために支給されている通勤手当の支給義務は負いません〔神戸地姫路支判平成 31 年 3 月 18 日労判 1211 号 81 頁〕）、例外的に、当該従業員を就労させた場合に不正行為の再発のおそれが高い等の事情のために就労をさせることができない場合等の例外的な場合には賃金支払い義務を免れる（民法 536 条 1 項）ことがあります（東京高判平成 30 年 6 月 21 日労経速 2369 号 28 頁）。

　自宅待機命令については、書式：自宅待機命令書を参照してください。

2 例外

　上記のとおり、従業員に就労請求権は認められていませんから、本来、会社は出勤停止を自由に命ずることができるはずですが、他方で、相応の理由なく命ぜられた出勤停止は業務命令権の濫用として無効となります。また、そのような出勤停止は従業員に対して大きな精神的負荷を与えますから具体的事情次第では人格権侵害としての不法行為を構成する場合があります（東京地判平成23年8月9日労経速2124号20頁）。したがって、出勤停止命令は、会社が理由なく自由になしうるものではなく、何らかの業務上の必要性が認められる場合に限って命ずることができると考えるべきです。

　業務上の必要性が認められる具体例としては、①懲戒処分を決定するに先立ち、証拠の隠滅を防止し、あるいは出勤に伴う混乱を回避するために命ずる場合、②セクハラの被害申告があり事実を調査するために一次的に隔離措置をする場合等があります。

書式：自宅待機命令書

```
                                     令和〇〇年〇〇月〇〇日
〇〇　〇〇　殿
                                     〇〇〇〇株式会社
                                     人事部長　〇〇　〇〇

              自宅待機命令書

　当社は、貴殿に対して、貴殿の〇〇という行為に対して調査の必要
があるため、（就業規則第〇条に基づき、）令和〇〇年〇〇月〇〇日
から正式な処分が決定する日までの自宅待機を命じます。
　今後は当社の指示がない限り、出社及び就労を禁止します。
                                                     以上
```

Ⅱ 配転命令

Q5 配置転換（配転命令）はどのような場合に認められますか。

解説

1 配置転換

　配置転換は、同一の会社において、従業員の職務内容や勤務場所を相当長期間変更することです。配置転換は、出向や転籍とは異なりますので、混同しないようにしてください。

配置転換、出向、転籍

配置転換＝同一の会社において、従業員の職務内容や勤務場所を相当長期間に変更すること
出　　　向＝雇用主は変更しないが、他の会社で勤務すること
転　　　籍＝雇用主が変更すること

2 配置転換はどのような場合に認められるか？

　就業規則に根拠規定がある場合には、会社は従業員に対して配置転換を命ずることができます。就業規則に根拠規定がない場合には、配置転換命令の可否について見解が分かれていますが、就業規則に規定がなくても人事権に基づき可能であるとするのが通説です。

　ただし、配置転換命令は無制限に認められるわけではなく、以下

の場合には、配置転換を命ずることはできません。

(1) 勤務場所や職種を限定して採用した場合

勤務場所や職種を限定して採用した場合には、従業員の同意がない限り、配置転換を命ずることはできません。どのような場合に、勤務場所や職種を限定する合意が認められるのかについては、Q7、Q8を参照してください。

勤務場所や職種を限定する合意がある場合には、就業規則で、「業務上の必要性がある場合に配置転換を命ずることができる」という規定が存在する場合であっても、配置転換を命ずることはできません。

もっとも、入社時に合意した職種や勤務場所それ自体を廃止せざるをえないような例外的な事情がある場合には、勤務場所や職種を限定する旨の合意がある場合においても配転命令が認められる余地があります（東京地判平成19年3月26日労判941号33頁）。もっともこの場合においても、無制限に認められるわけではなく、労働条件や勤務場所を複数提示したり、協議を行い同意を得るよう努める等丁寧な対応をすることが要求されます（名古屋高判平成29年3月9日労判1159号16頁）。

(2) 業務上の必要性（人選の合理性）が認められない場合

ア　業務上の必要性

配置転換は人事権に基づくものですので、会社に広い裁量が認められますが、たとえば、転居を伴うなど従業員の生活関係に少なからず影響を与えることになりますので、業務上の必要性が認められない場合の配転命令は権利の濫用として無効になります（最判平成12年1月28日労判774号7頁、最判昭和61年7月14日労判477号6

頁)。

問題は、どのような場合に業務上の必要性が認められるかですが、以下のとおり、比較的ゆるやかな基準で業務上の必要性が肯定されています。

業務上の必要性が認められる具体例

> ① 人事ローテーションとしての定期の人事異動、余剰人員の再配置、欠員補充
> ② 業務の能率増進、従業員の能力開発、勤務意欲の高揚、業務運営の円滑化、従前の職場における人間関係
> ③ ハラスメントの加害者を被害者から隔離するため

　イ　人選の合理性

また、人選の合理性が問題となることがありますが、当該従業員でなければならないという高度の必要性は要求されず、一定の合理的な基準を設けて選定すれば足りると解されています。たとえば、「本社地区の製造現場経験のある40歳未満の従業員のなかから選ぶ」などとすれば人選の合理性は肯定されると解されます。

(3) 不当な動機または目的をもって配置転換が行われた場合

不当な動機または目的をもって行われた配置転換は無効です。この点に関しては以下の判例が参考になります。

不当な動機または目的をもって行われたとして配置転換を無効とした判例

> ① 退職に追い込む目的でその職務経歴にふさわしくない業務に従事させた事案（大阪地判平成12年8月28日労判793号13頁）
> ② 内部通報をした社員に対する意趣返しとしての配置転換をした事案（東京高判平成23年8月31日労判1035号42頁、最決平成24年

6月28日労判1048号177頁)

(4) 従業員に対して著しい不利益がある場合

① 配置転換によって、従業員に、「通常甘受すべき程度を著しく超える不利益」が及ぶ場合には、配置転換命令は無効となります。問題は、どのような場合に、「通常甘受すべき程度を著しく超える不利益」があると認められるかです。

この点、判例は、単身赴任になることや通勤時間が長時間になる程度では、「通常甘受すべき程度を著しく超える不利益」があるとは認めていません(最判昭和61年7月14日労判477号6頁、最判平成11年9月17日労判768号16頁、最判平成12年1月28日労判774号7頁)。

判例が「通常甘受すべき程度を著しく超える不利益」を認定した事案としては、要介護状態にある親族や転居が困難な病気を持った親族の介護をしている従業員に対する配転命令(大阪高判平成18年4月14日労判915号60頁)等、従業員やその家族にある程度大きな不利益が現実的に生じるような場合に限定されています。

② 育児・介護休業法26条は、配転に際して、子の養育や家族の介護が困難にならないように配慮しなければならないと定めています。この規定があるからといって、配転命令の要件がただちに加重されるわけではありません。もっとも、この規定を受けて策定された、「子の養育又は家族の介護を行い、又は行うこととなる労働者の職業生活と家庭生活との両立が図られるようにするために事業主が講ずべき措置に関する指針」(平成21年12月28日厚生労働省告示第509号〔最終改正:令和元年厚生労働省告示第207号〕)は、(i)当該従業員の子の養育や家族の介

護の状況を把握すること、(ⅱ)従業員本人の意向を斟酌すること、(ⅲ)転勤の場合の子の養育や介護の代替手段の有無を確認すべきことを例示しています。この指針は会社が配置転換命令の可否を検討する際に参考にすべきです。また、上記の育児・介護休業法の趣旨を考慮し、妻が非定型性精神病にり患し、母親が要介護状態にあるのに、この点に十分な配慮をせずに行った配置転換命令について「通常甘受すべき程度を著しく超える不利益」があるとした判例が参考になります（神戸地姫路支判平成17年5月9日労判895号5頁）。

③ 労働契約法3条3項では「仕事と生活の調和」（ワーク・ライフ・バランス）に配慮する義務を規定しています。この規定自体は理念規定であり、ただちに具体的な法的効果を伴うわけではありませんが、今後は、ワーク・ライフ・バランスの社会的要請の高まりをふまえて、配転命令の権利濫用判断における「通常甘受すべき程度を著しく超えるか」か否かを判断する際、仕事と生活の調和を重視する方向へと修正される可能性があります（京都地判平成23年9月5日労判1044号89頁）。

④ なお、「通常甘受すべき程度を著しく超える不利益」があると認められるか否かは、会社の業務上の必要性の程度によっても異なってきます。たとえば、会社における業務上の必要性が非常に高い場合には、従業員の不利益が相当程度大きい場合であっても、「通常甘受すべき程度を著しく超える不利益」があるとは認められないのに対して、会社の業務上の必要性がそれほど高くない場合には、従業員の不利益がそれほど大きくなくても「通常甘受すべき程度を著しく超える不利益」があると認められることになります（東京高判平成20年3月27日労判959号18頁）。

(5) 強行法規に反する場合

不当労働行為（労働組合法7条）、差別的取扱い（労働基準法3条）、男女差別（雇用機会均等法6条）、公益通報をしたことに対する不利益取扱い（公益通報者保護法5条）は強行法規（第1章Q1を参照してください）に違反します。これらの規定に違反する場合には、当然に（上記の有効要件の有無を検討するまでもなく）配置転換は無効となります。

配転命令の有効性

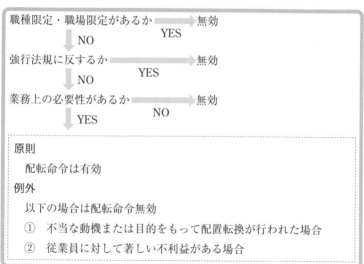

Q6
配転命令に伴い賃金が減額される場合には、そのような不利益を伴わない場合と比べて、特別に考慮しなければならないことはありますか。

解説

　本来、配置転換命令それ自体は賃金の減額を伴うものではありません。

　もっとも、配転命令に伴い担当する職種が変更され、これに伴い賃金が減額になる場合（職種ごとに賃金表が異なる会社）があります。この場合は、降格（職種の変更）により賃金が減額になる場合と同じですので、配置転換命令の要件に加えて、職種変更に伴う賃金減額（降格）の要件を充足する必要があります。

　また、配置転換命令と降格処分を同時に行う場合にも賃金減額が生じることがあります。この場合も、同様に、配置転換命令の要件に加えて、賃金減額を伴う降格の要件を充足する必要があります（賃金減額を伴う降格の要件についてはQ13を参照してください）。判例（仙台地決平成14年11月14日労判842号56頁）も、「従前の賃金を大幅に切り下げる場合の配転命令の効力を判断するにあたっては、賃金が労働条件中最も重要な要素であり、賃金減少が労働者の経済生活に直接かつ重大な影響を与えることから、配転の側面における使用者の人事権の裁量を重視することはできず、労働者の適性、能力、実績等の労働者の帰責性の有無及びその程度、降格の動機及び目的、使用者側の業務上の必要性の有無及びその程度、降格の運用状況等を総合考慮し、従前の賃金からの減少を相当とする客観的合理性がない限り、当該降格は無効と解すべきである。（そして、降格が無効である以上、本件配転命令全体が無効である）」としています。

Q7 職種限定の合意はどのような場合に認められますか。

解説

1 書面で職種限定の合意をした場合

　労働契約書等の書面で明示的に職種限定の合意をした場合には、職種限定の合意が認められます。

　労働条件通知書あるいは雇用契約書には従事する「業務の内容」が記載されていますが、これは、採用直後の当面の業務の内容が記載されているだけであり（「労働基準法の一部を改正する法律の施行について」〔平成11年1月29日基発第45号〕）、この記載をもって職種限定の合意があると解されることはありません。

　書面で職種限定の合意をするのであれば、従業員を一定の職種に限定して配置すること、したがって、当該職種以外には一切就かせない旨を別途雇用契約書等に明示する必要があります。

2 業務遂行に特殊技能を要する場合

　業務遂行それ自体に特殊技能を要する場合、たとえば、医師、看護師、自動車運転手等特殊の技能、資格、技術が必要な職種の場合、書面で明示的に職種限定の合意をしていない場合であっても、職種限定の合意の成立が認められる場合が多いと思います（調理師について職種限定合意を認めた大阪地判平成16年1月23日労経速1864号21頁、タクシー乗務員について職種限定合意を認めた福岡地判平成11年3月24日労判757号31頁、アナウンサーについて職種限定合意を認めた東京地決昭和51年7月23日労判257号23頁）。

　もっとも、業務遂行に特殊技能が必要であるという事情のみで常

に職種限定の合意が認められるわけではありません（アナウンサーについて職種限定合意を否定した最判平成10年9月10日労判757号20頁）。採用時に、当該技能を有していることが採用条件になっていたか、同職種の他の従業員の従前の配転状況がどのようなものであったかなどを考慮して、職種限定合意の成否が判断されます（千葉地松戸支判平成24年5月24日労経速2150号3頁）。

業務遂行に特殊技能を要する職種については、書面で職種限定を合意していない場合でも職種限定の合意が認められる可能性がありますので、会社として将来職種を変更する可能性があると考えている場合には、労働契約書にその旨明記しておくことをおすすめします。

職種限定合意が成立していないことの確認合意条項

> 第○条（その他の契約条件）
> 　本労働契約においては、職種を限定する合意は存在せず、会社は、就業規則○条に基づき、配置転換（職種の変更を含む）を命ずることができるものとします。

Q8 勤務場所限定の合意はどのような場合に認められますか。

解説

1　書面で勤務場所を限定する旨の合意をした場合

　労働契約書等の書面で明示的に勤務場所限定の合意をした場合には、勤労場所限定の合意が認められます。

　労働条件通知書には「就業の場所」（労働基準法施行規則5条1項1号の3）が記載されていますが、これは、採用直後の当面の就業の場所が記載されているだけであり（「労働基準法の一部を改正する法律の施行について」〔平成11年1月29日基発第45号〕）、この記載をもって勤務場所限定の合意があると解されることはありません。

　書面で勤務場所限定の合意をする場合には、当該従業員を一定の勤務場所に限定して配置すること、したがって、当該勤務場所以外には転勤させないことを明示する必要があります。

2　勤務場所限定の合意

　労働契約書において、明示的に勤務場所限定の合意をしている場合には、勤務場所限定の合意が認められます。

　また、労働契約書において、明示的な合意をしていない場合でも、勤務場所を限定する旨の黙示の合意が認められる場合があります。

　現地採用職員であるからといって、それだけで必ずしも勤務場所限定の合意があったと認定されるわけではありませんが、現地採用職員について慣行上転勤がない事案（福岡地小倉支決昭和45年10月26日判時618号88頁）、採用面接において、従業員が家庭の事情で○○以外には転勤できないと述べていた事案（大阪地判平成9年3月

24 日労判 715 号 42 頁)、従業員を募集する際の広告において勤務地が○○であると記載されており、従業員がこの点を重視して応募した事案（神戸地決昭和 54 年 7 月 12 日労判 325 号 20 頁）、採用の際に○○地区以外での勤務に難色を示していた事案（大阪高判平成 17 年 1 月 25 日労判 890 号 27 頁）について勤務場所限定合意があったことが認められています。

　他方で、現地採用社員であっても、就業規則に転勤の根拠規定があり、また、他の現地採用社員に関して転勤の実績があるような事案では、勤務場所限定合意は認められません。

　なお、上記のとおり、現地採用社員については、書面で勤務場所限定を合意していない場合でも勤務場所限定の合意が認められる可能性がありますので、会社として将来勤務場所変更の可能性があると考えている場合には、労働契約書にその旨明記しておくことをおすすめします。

勤務場所限定合意が成立していないことの確認合意条件

> 第○条（その他の契約条件）
> 　本労働契約においては、勤務場所を限定する合意は存在せず、会社は、就業規則○条に基づき、転勤を命ずることができるものとします。

Q9 転勤を拒否した従業員に対してはどのような対応をとることができますか。

解説

　配転命令が有効であれば、従業員の同意の有無にかかわらず、命ぜられた勤務場所で命ぜられた勤務をする義務が発生します。

　したがって、たとえば、従業員が、命ぜられた勤務場所に出社しない場合、従業員の債務不履行に該当し、無断欠勤と同じ状況となります。

　無断欠勤は、労働契約上の義務違反であるとともに企業秩序遵守義務違反に該当します。したがって、出社しない状況が数日間継続する場合には、普通解雇や懲戒解雇の対象となります（第7章Q11を参照してください）。

Ⅲ 出向・転籍命令

Q10 出向命令はどのような場合に認められますか。また、出向の取消しや出向期間の延期はどのような場合に認められますか。

解説

1 出向とは？

出向とは、従業員が雇用先の会社（出向元）に在籍のまま、他の会社（出向先）の従業員となって相当長期間その会社の業務に従事することをいいます。

2 出向命令の可否

(1) 個別同意

出向により、労務遂行に関する指揮命令権が出向元から出向先に変更になりますし、労働条件に不利益変更が生ずる可能性があります。

したがって、出向命令を出す際には、原則として、従業員の個別同意を得ることが必要です。

(2) 包括同意

従業員の個別同意を得られない場合には、出向命令を出すことが

一切できないというわけではありません。

　就業規則等において、出向の定義、出向期間、出向中の社員の地位、賃金その他の処遇等に関して出向者の利益に配慮した詳細な規定がある場合には、個別同意なしに出向命令を出すことができます（最判平成15年4月18日労判847号14頁）。

　実務では、就業規則において、出向命令の根拠となりうる一般規定を定めたうえで、就業規則とは別に出向規程を定めるのが通常です。出向規程では、①出向期間、②出向の手続（命令発出までの内示期間等）、③出向中の従業員の地位、④勤務形態（労働時間・休日）、⑤賃金・退職金、出向手当、⑥昇格、昇給等の査定等を定めます。

(3)　出向命令が権利濫用にあたる場合

　出向を命ずることができる場合であっても、業務上の必要性や対象者選定に至る事情次第では、出向命令が権利濫用にあたり無効になることがあります（労働契約法14条）。

　出向命令が権利濫用となるかどうかは、配置転換の可否を判断する場合と同様に、業務上の必要性（人選の合理性も含まれます）と従業員の労働条件・生活上の不利益の程度を比較考量して判断されます。

　そのため、業務上の必要性が認められる場合であっても、①不当な動機または目的をもって出向が行われた場合（退職を誘導させるために行ったなどの事情が認められる場合・東京地判平成25年11月12日労判1085号19頁）、②従業員に対して著しい不利益がある場合（賃金が大幅に下がる場合、従業員の肉体的負担が大きい場合・大阪地決平成6年8月10日労判658号56頁）には、出向命令は無効になる可能性が高いと解されます。

出向命令の可否

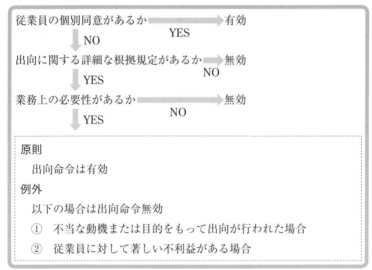

3 出向命令からの復帰と延期

　出向はあらかじめ定められた出向期間の満了とともに終了し、原則として、会社が一方的に出向期間を延期することはできません。

　しかし、出向規程その他で出向を延期することができる旨の規定がある場合には、出向の延期が認められる場合があります。ただし、その場合であっても、出向を延期することの合理的な理由と従業員に著しい不利益がないことが必要です（最判平成15年4月18日労判847号14頁）。

　他方で出向からの復帰命令は、労働者の同意は不要です（最判昭和60年4月5日民集39巻3号675頁）。

Q11 転籍命令はどのような場合に認められますか。

解説

　転籍とは、従業員が雇用先の会社から他の会社に籍を移して他の会社の業務に従事することをいいます。

　転籍をする場合には、転籍の際に従業員から個別に同意を得る必要があります（東京地決平成4年1月31日判時1416号130頁、東京地判平成23年2月9日労経速2107号7頁。書式：転籍同意書参照）。就業規則に転籍を命ずることができる旨の包括的規定を置いたとしても無効です（上記東京地決平成4年1月31日参照）。

　転籍の際の個別同意がない場合であっても、例外的に、入社時の労働契約において、転籍先の会社が明示されており、転籍中の待遇について十分な配慮がなされ、従業員に不利益がないような場合には、転籍命令が有効になる余地があります（千葉地判昭和56年5月25日労判372号49頁）。

書式：転籍同意書

　　　　　　　　　　　　　　　　　　　令和〇〇年〇〇月〇〇日

株式会社□□
代表取締役社長　〇〇　殿
株式会社△△△△
代表取締役　〇〇　殿
　　　　　　　　　　　　転籍同意書

　私は、以下の条件により転籍することに同意致します。

1 転 籍 先　株式会社△△
2 所 在 地　東京都〇〇
3 転 籍 地　令和〇〇年〇〇月〇〇日
4 退 職 金　転籍時に株式会社□□の退職金規程に基づく退職金を受領し、転籍後は株式会社△△の退職金規定の適用を受ける。
5 そ の 他　別紙「転籍時の労働条件」記載のとおり

以　上

住　所　東京都〇〇
氏　名　〇〇　　　　　㊞

（別紙）

転籍時の労働条件

1　契約期間　　　〇〇
2　就業場所　　　〇〇
3　業務内容　　　〇〇
4　就業時間　　　〇〇
5　所定時間外・休日労働の有無　　〇〇
6　休日　　　〇〇
7　休暇　　　〇〇
8　賃金　　　〇〇
9　退職　　　〇〇
10　その他　　上記の他、詳細は株式会社△△の就業規則の定めによる。

Ⅳ 降格処分

Q12 人事処分としての降格の可否を考えるうえでの基本的な視点を教えてください。

解説

人事処分としての降格とは、会社における役職・職位（たとえば、部長、課長、主任等）、資格（職務資格制度を採用している会社。たとえば、経営職、管理職、リーダー職等）、職務役割等級（職務役割等級制度を採用している会社）を引き下げることです。懲戒処分としての降格とは別物です。

降格の種類

役職・職位の引下げ ➡	どの会社でもありうる
資格の引下げ ➡	職能資格制度を採用している会社
職務役割等級の引下げ ➡	職務役割等級制度を採用している会社

　役職＝企業組織上の地位を指す。通常は、部、課長、係長、主任など。
　職能資格制度＝職務資格とは、職務遂行能力に基づく格付けを指す。たとえば、参与、参事、主事、社員一般などと呼称される。この職能資格のなかのランクとしてさらに資格等級が定められることが多い（たとえば、主事1級）。この職能資格・資格等級によって基本給（職能給）を決定する制度が職能資格制度である。
　職務等級制度＝職務の価値によって等級を定め、従業員が従事する

> 　　　　　職務の等級によって基本給（職務給）を決定する制
> 　　　　　度
> 役割等級制度＝従業員の担う役割の重要度に応じて等級を定め、目
> 　　　　　標の達成度を考慮して処遇を決定する制度（職能資
> 　　　　　格制度と職務等級制度の混合形態）

　人事処分としての降格の可否は、それぞれの会社における人事制度の内容をふまえた検討をしなければなりませんが、基本的な視点は次のとおりです。

降格の可否を考えるうえでの基本的な視点

> ①　どの役職・職位につけるかは原則として会社が自由に決めることができる。
> ②　役職・職位・資格職務役割等級の引下げに伴い賃金を減額するには、役職・職位・職務役割等級と賃金の連動性が就業規則や賃金規程に明確に規定されていなければならない（制度設計が重要）。
> ③　人事考査を根拠に資格を引き下げる場合には、能力査定が適正であったことが証明できなければならない。

Ⅳ 降格処分

Q13 人事処分としての降格のうち、役職や職位の引下げ（降職）に関する一般論と参考になる判例を教えてください。また、判例を分析して得られる実務上のポイントを教えてください。

解説

1 役職・職位の引下げ（降職）に関する一般論

　役職・職位の引下げは、就業規則に根拠規定がなくてもすることができます。

　また、役職の引下げについては、会社に比較的広範な裁量が認められています。誰をどの役職につけるかは、会社組織のなかで従業員をどのように活用していくかという人事権に属する事項だからです。したがって、たとえば、営業所の成績不振を理由として部長を課長に降格することは、就業規則に根拠規定がなくても、会社の裁量によって可能です。

　しかし、役職の引下げが同時に、職能資格や職務役割等級の引下げを伴う場合には、それらの引下げの要件を充足する必要があります。

　また、当該従業員との間で、役職・職位を限定する合意がある場合には、当該従業員の不適格性を理由に役職や職位を引き下げることはできません。

　さらに、役職の引下げであっても、人事権の濫用に該当する場合には無効になります。人事権の濫用に該当するか否かは、①会社の業務上、組織上の必要性の有無・程度、②能力、適性の欠如等、従業員側における有責性の程度、③従業員の受ける不利益の性質と程度、④当該会社全体における昇進・降格の運用上の状況を勘案して判断されます。

他方で、役職の引下げに伴って賃金が減額されることが労働契約において予定されていない場合には、賃金減額をすることはできません（東京地判平成20年2月29日労判968号124頁）。

これに対して、役職に応じた役職手当が定められている場合、役職の引下げの結果、受給資格が失われますが、役職の引下げが有効である以上、役職手当の減額は原則として有効です。また、役職の引下げに伴う賃金の減額が労働契約において予定されている場合であっても、賃金の減額を伴う場合には、降格処分の有効性は、人事権濫用該当性の判断においてある程度厳しく判断されます。

2 参考になる判例

役職・職位の引下げを有効とした判例

事案の概要	判示内容
不適切な窓口対応を繰り返したとして副課長から係長に降格（それに伴い役職手当が減額）された事案（東京高判平成21年11月4日労判996号13頁）	人事権の行使については、使用者に広範な裁量が認められている。使用者側の人事権行使についての業務上、組織上の必要性の有無・程度、労働者がその職務・地位にふさわしい能力・適性を有するか否か、労働者がそれにより被る不利益の性質・程度等の諸点を総合してなされるべきであるから、降格は有効である（なお、不当労働行為に該当する場合は無効である）。
病院において、医長（管理職）の地位にあった者が、院外処方について否定的な見解を有しており、	3か月間の停職処分は社会的相当性がなく無効とされたが、当該医師は、その言動からすると管理職

事案の概要	判示内容
院外処方を推進する病院に反対するだけではなく、これを妨害する行為をしたこと、心電検査室を私的に利用したうえに、私物を撤去して退去するようにとの院長の命令にも従わなかったこと、パワハラをしたとして同僚を誹謗中傷し、また同僚の私事（懐妊）を病院内に公にしたこと等を理由に、懲戒処分（3か月間の停職）と医長から医員への降格処分（給与の減額を伴う）をした事案（東京地判平成26年7月7日労判1103号5頁）	としての適格性に欠けるものと評価されてもやむをえないから、降格は有効である。

役職・職位の引下げを無効とした判例

事案の概要	判示内容
営業担当取締役であった従業員に対して、わずかな期間で、営業担当取締役相当の待遇を受ける適格性はないと判断し降格（給与の減額を伴う）処分をした事案（東京高判平成17年1月19日労判889号12頁）	わずか数か月間で、会議における従業員の意見ないし発言の仕方やその態度から、営業担当取締役相当の待遇を受ける適格性がないと判断するような専断的決定は認められず、降格は無効である。
「会長に対する報告がない。対応が遅い」などという理由で、部長から課長への降格処分（給与の減額を伴う）をした事案（東京地判平成19年2月26日労判943号63頁）	人事権の行使が会社の裁量行為であるとはいえ、給与の減額を伴う降格を是認しうるような事情はなかったから、降格は無効である。

退職勧奨に応じない管理職を退職に追い込むために降格処分（給与の減額を伴う）をした事案（東京地判平成18年9月29日労判930号56頁）	人事権は労働者から付託された相当の裁量の範囲内で行使されるべきであるとし、濫用にわたる降格処分は無効である。
人事考査の結果、降格処分を行い、これに伴い職務給（25万円から17万円）および役職手当（4万円から2万円）が減額となった事案（東京地判平成26年10月15日労判1111号79頁）	人事権の行使としての降格のうち、役職を低下させるものにすぎないものは、業務上の必要性があり権利濫用にあたらない限り裁量に基づき行うことができる。しかし、人事考課表において従業員に低評価がなされていても、その評価の裏づけとなる具体的な事実について主張立証がない場合は、業務上の必要性は認められないから、降格は無効である。
育児休業明けの休暇取得が多かったこと、役員会に遅刻や欠席をしたこと等から管理職として不適格という理由で、事務局長代理から経理主任へ降格処分（給与の減額を伴う）をした事案（大阪地判平成22年5月21日労判1015号48頁）	対象者が事務局長代理としての能力を備えていること、休暇を取得することによって職責を果たしていないとは認めがたいこと、対象者の降格後事務局長代理に就任した者がいなかったことから、人事権の濫用に該当し、降格は無効である。
副主任（管理職）の地位にあった医学療法士が、妊娠中であったため、軽易な業務への転換を希望し、リハビリ科に異動となり、その際、副主任を免じる旨の降格がなされ、副主任手当（月額9500円）が減	女子労働者についての労働基準法65条の軽易な作業への転換を契機となした降格は原則として雇用機会均等法9条3項の禁止する取扱いに該当するが、①労働者において自由な意思に基づいて降格を

額となったものの、これに対して対象者の事後承諾があった事案（最判平成26年10月23日民集68巻8号1270頁。なお、差戻審は広島高判平成27年11月17日労判1127号5頁）	承諾したものと認めるに足りる合理的な理由が客観的に存する場合または②事業主において降格の措置をとることなく軽易業務への転換をさせることが円滑な業務運営や人員の適正配置の確保等の業務上の必要性から支障がある場合で、雇用機会均等法9条3項の趣旨目的に実質的に反しないという特段の事情が存するときに限り、有効である。

3 判例を分析して得られる実務上のポイント

　役職や職位の引下げについては、会社に広範な裁量が認められているため、①会社の業務上、組織上の必要性、あるいは、②能力、適性の欠如等といった従業員側の有責性等が認められる場合には、無効とされるリスクはそれほど高くありません。

　しかし、上記①または②に該当する具体的事実の存在を証拠によって立証できない事案では降格処分は無効とされています。とくに、降格処分によって、賃金が減額されるなどの不利益が従業員に生じる場合は、上記の判断はある程度厳格になされる傾向が認められますので、降格をする場合には、上記①および②の存在を裏づける客観的資料を残しておくことが重要です。

　また強行法規（労働組合法7条や労働基準法65条等。その他Q5を参照してください）への抵触が問題となりうる場合には、降格が無効になる可能性が高くなりますので、降格の可否についてとくに慎重な検討が必要です。

Q14

人事処分としての降格のうち、職能資格制度上の資格の引下げに関する一般論と参考になる判例を教えてください。また、判例を分析して得られる実務上のポイントを教えてください。

解説

1 職能資格制度上の資格の引下げに関する一般論

職能資格制度とは、職務遂行能力を職掌として分類したうえ、各職掌における資格遂行能力を資格（たとえば、経営職、上級管理職、中級管理職、監督職、リーダー職、ジュニア職等）とそのなかでのランク（たとえば、1級～3級）に序列化する制度です。

通常の職能資格制度では、資格は、会社組織内での経験を積み重ね、技能を習得することによって蓄積し、保有するに至った職務遂行能力の到達レベルを示しますので、いったん認定された資格が後に引き下げられるという事態は本来予定されていません。そのため、職能資格制度上の資格の引下げは、就業規則等に明確な根拠がなければ行うことができません。また、就業規則等労働契約上明確な根拠がある場合であっても、資格の低下の原因となった評価等に相当の理由がない場合や降格の結果として従業員の被る不利益が大きい場合には、降格処分は無効になります。

2 参考になる判例

事案の概要	判示内容
降格または賃金減額を基礎づける制度が採用されていたか否かが争点となった事案（東京地判平成12年1月31日労判785号45頁）	一般的な職能資格制度をとっていたものであり、いったん備わっていると判断された職務遂行能力が、営業実績や勤務評価が低い場合に

	これを備えないものとして降格されることは、（心身の障害等の特別の事情がある場合は別として）何ら予定されていなかった。
職能資格を就業規則の根拠なく引き下げた事案（東京地決平成8年12月11日労判711号57頁）	「降格」は、資格制度上の資格を低下させるもの（昇格の反対措置）であり、一般に認められている、人事権の行使として行われる管理監督者としての地位を剥奪する「降格」（昇進の反対措置）とはその内容が異なる。資格制度における資格や等級を労働者の職務内容を変更することなく引き下げることは、同じ職務であるのに賃金を引き下げる措置であり、労働者との合意等により契約内容を変更する場合以外は、就業規則の明確な根拠と相当の理由がなければなしうるものではない。

3　判例を分析して得られる実務上のポイント

　職能資格の引下げが認められるためには、就業規則において明確にその根拠を定めておく必要があります。具体的には、会社で職務遂行能力として位置づけられるものが、各年度に発揮される能力で、これは年々変動し、下落する可能性もあること、各年度の職務遂行能力の下落に伴い、会社における職能資格を引き下げることがあること等を規定しておく必要があります。

Q15 人事処分としての降格のうち、職務・役割等級制度上の給与等級やグレードの引下げに関する一般論と参考になる判例を教えてください。また、判例を分析して得られる実務上のポイントを教えてください。

解説

1 職務・役割等級制度上の給与等級やグレードの引下げに関する一般論

職務等級制度（ジョブ・グレード制）は、典型的には、会社内の職務を職責の内容・重さに応じて等級（グレード）に分類・序列化し、等級ごとに賃金額の最高値、中間値、最低値による給与範囲（レンジ）を設定する制度です。職務をその責任の難易度によって抽象的に大くくりに分類し等級化し、各等級において相当広い範囲の給与レンジを設定するため、同じ職務等級のなかでも各人の給与の額を各年の貢献度（業績に向けての能力発揮度）の違いにより差別化できるような仕組みとなっています。

これに対して、役割等級制度は、従業員の仕事上の役割を分類し等級化して、その等級に応じて基本給を定める制度です。管理職以外は、職務や役割が不明確になりがちであり、職能資格制度における職務遂行能力と同じような基準になりがちです。

職務・役割等級制度上における給与等級やグレードの引下げは、当該制度の枠組みのなかでの人事評価の手続と決定権に基づいて行われる限り、原則として使用者の裁量的判断に委ねられます。しかし、当該降級について、それを正当化するほどの勤務成績の不良が認められず、退職誘導等他の動機が認められるような場合には、人事権を濫用したものとして、降級は無効になります。

2 参考となる判例

職務・役割等級の引下げを有効とした判例

事案の概要	判示内容
① 職務等級制度の内容 　社員を管理職に相当するマネジメント職と、エキスパート群とディベロップメント群から成るそれ以外の一般職とに分けたうえで、それぞれの職務の種類・内容、所掌の範囲やその重要性・責任の大小、要求される専門性の高さ等に応じて細分化したグレードを設定し、個々のグレードに対応する基本給の基準額とその範囲を定め、これを基礎にして支払給与および賞与その他の処遇を定めている。 ② 従業員に対する周知 　給与規則に定めがあるほか、新制度導入時に社員に配布されたガイドブックでも説明されている。 ③ 制度の運用状況 　新制度導入後、基本給を伴うグレード変更があった件数は1172件あり、そのうち基本給の減額幅が月額10万円を超える事例は80件あった。 ④ 降格処分の内容 　マネジメント職からそれ以外の一般職というべきディベロップメント群に属する医療職への担当業	降級処分は有効である。理由は以下のとおり。 ① 新制度のもと、担当職務に変更が加わればこれに対応してグレード・基本給にも変更が生じることも当然に予定され、これらの点が就業規則・給与規則において具体的に明らかにされ、社員に対する周知の措置が講じられていた。 ② 担当職務の変更とこれに伴う給与規則所定のグレードの変更については、一体のものとして、業務上の必要性の有無、不当な動機・目的の有無、通常甘受すべき程度を著しく超える不利益の有無等について検討し、人事権の濫用となるかどうかという観点からその効力を検討するのが相当である。 ③ 使用者の裁量に委ねられた人事配置の結果、特段の帰責事由がない労働者においても管理職の地位からはずれるという事態は、一般に起こりうる。 ④ 特定のチームの解散により、チームリーダーの職務、役職自

事案の概要	判示内容
務の変更が命じられ、これによって年間52万円ないし68万円の減収が生じた（東京地判平成27年10月30日労判1132号20頁）。	体はなくなった以上、業務上の必要性が認められる。 ⑤ 減収を少額ということはできないが、管理職に相当するマネジメント職の地位からはずれ、その職務内容・職責に変動が生じていることも勘案すれば、Xに生じた上記減収程度の不利益をもって通常甘受すべき程度を超えていない。
ジョブグレード8に格付けされた従業員が、ジョブグレード9に格付けされるべきであったと主張した事案（東京地判平成18年2月27日労判914号32頁）	職務等級制度上の等級のどこに格付けされるのが相当かという問題であり、その人事評価には相当性がある。

職務・役割等級の引下げを無効とした判例

事案の概要	判示内容
人事・報酬制度は、いわゆる成果主義的な考え方を前提として、年功序列制や職能資格制度とは異なる職務等級制のような人事・報酬制度である。 しかし、年俸規程では、「報酬グレード」や「役員報酬」については言及されているものの、「報酬グレード」が「役割グレード」と連動していることを定めている条項は存在しない。役割報酬と役割グレードとの対応が一応示されて	役割報酬の引下げは、労働者にとって最も重要な労働条件の1つである賃金額を不利益に変更するものであるから、就業規則や年俸規程に明示的な根拠もなく、労働者の個別の同意もないまま、使用者の一方的な行為によって行うことは許されない。役割グレードの変更についても、そのような役割報酬の減額と連動するものとして行われるものである以上、労働者の個別の同意を得ることなく、使

いる手引きはあるが、役割報酬の大幅な減額を生じるような役割グレードの変更がなされることについて明確に説明した記載は見当たらないし、そのような不利益変更の可能性について、Yから、社員に対して具体的に説明がなされたことを認めるに足りる証拠もない（東京高判平成23年12月27日労判1042号15頁）。	用者の一方的な行為によって行うことは、同じく許されないというべきであり、それが担当職務の変更を伴うものであっても、人事権の濫用として許されない。

3 判例を分析して得られる実務上のポイント

　職務・役割等級制度上の給与等級・グレードの引下げに関しては、人事制度の制度設計が重要です。制度設計をする際に、どのような場合（どのような人事評価）に給与等級・グレードの引下げがなされるかという基準を具体的かつ明確に規定し、制度の内容について、従業員に説明し周知してください。

　また、構築した人事制度が適正に運用されていることも重要です。人事制度が形骸化している場合には、人事制度に基づく給与等級・グレードの引下げが無効と判断されるリスクが高まります。

第5章

従業員にとって不利益な内容に労働条件を変更する

I 個別同意等

Q1 従業員の労働条件を引き下げようと思いますが、どのような方法がありますか。また、それぞれの方法のメリット・デメリットを教えてください。

解説

1 労働条件の不利益変更

労働条件の引下げは、労働契約法の世界では「労働条件の不利益変更」と呼ばれています。既存の労働条件よりも不利な内容の労働条件に変更することですから、既存の労働条件次第で労働条件の不利益変更に該当するか否かが異なってきます。

労働条件の不利益変更を行う方法は、各従業員から個別同意を得る方法、就業規則を変更する方法、労働協約を締結する方法の3つの方法があります。

2 各従業員から個別同意を得る（労働者と合意する）方法

個別に同意（合意）をした従業員に対しては、労働条件の不利益変更の効力が及びます（労働契約法8条、9条本文）。将来裁判で争われても有効になる可能性が高い方法であり、不利益変更を行う場合には、まずこの方法を試みるべきです。個別同意を取得する際の注意点は、Q2を参照してください。

3 就業規則の不利益変更

　使用者は、原則として、労働者と合意することなく就業規則の不利益変更をすることはできません（＝合意なく一方的に変更しても無効になる）が、例外的に不利益変更が「合理的なもの」である場合には、合意のない不利益変更であっても有効になります（労働契約法9条ただし書、10条本文）。

　就業規則の不利益変更という方法は、他の方法（個別同意、労働協約）よりも要件が厳格であるため無効になるリスクが高く、しかも、将来裁判になった場合の結論の予測が困難です。

　就業規則の不利益変更が有効となるための要件についてはQ4を参照してください。

4 労働協約を締結する方法

　労働協約とは、労働組合と会社との間の労働条件等に関する約束のことをいい、双方の記名・押印等をした書面で作成された場合にその効力が発生します（労働組合法14条、労働者代表と締結する労使協定とは別物です）。

　労働協約は、協約を締結した労働組合の組合員に対して効力が及びます（最判平成9年3月27日労判713号27頁）。たとえば、ある労働組合が会社との間で、当該年度中は給与を1％減額するという組合員にとって不利な内容の労働協約を締結した場合、その内容に同意しない組合員に対しても原則として効力が及び、当該組合の組合員である従業員の給料は1％減額になります。他方で、労働協約は、協約を締結した労働組合の組合に所属しない従業員には原則として効力は及びません。例外的に、「一の工場事業場に常時使用される同種の労働者の4分の3以上の数の労働者が一の労働協約の適用を

受けるに至った」ときは、組合員以外の従業員（未組織労働者）にも効力が及びます（労働組合法17条）。もっとも、この場合であっても非組合員に労働協約を適用することが「著しく不合理である」場合は、非組合に不利益変更の効力は及びません。「著しく不合理である」かどうかは、労働協約によって特定の未組織労働者にもたらされる不利益の程度・内容・労働協約が締結されるに至った経緯、当該労働者が労働組合の組合員資格を認められているかどうか等に照らして判断すべきとするのが判例です（最判平成8年3月26日民集50巻4号1008頁）。

労働条件の不利益変更〜3つの方法のメリット・デメリット

方法	メリット	デメリット
各労働者から個別同意を得る方法	将来裁判で争われても有効になる可能性が高い。	同意をしない労働者には効力が及ばない。
就業規則の不利益変更の要件を充足する方法	同意しない労働者に対しても効力が及ぶ。	要件が厳格であるため、裁判で争われると負ける可能性が他の方法よりも高い。
組合との間で労働協約を締結する方法	□同意しない組合員に対しても効力が及ぶ。 □4分の3以上の労働者が加入する組合が存在しかつその組合との間で労働協約を締結することができれば、組合員以外の労働者にも効力が及ぶ。	（4分の3以上の労働者が加入する組合が存在しない場合）組合員以外の労働者に効力を及ぼすことができない。

Q2 労働条件の不利益変更を実施します。従業員から個別同意を取得しようと考えていますが、同意を取得する際に注意すべきことを教えてください。

解説

1 書面で同意をとること

　労働条件の不利益変更について従業員から同意を取得する場合、同意書を作成してください（書式：労働条件変更に関する同意書参照）。後日、「言った、言わない」の争いになることを避けるためです。もっとも、同意書を作成したからといって、労働条件の不利益変更が必ず有効になるというわけではありません。以下に説明するとおり、同意書を作成する際にはいくつか注意すべきことがあります。

2 あらかじめ就業規則の基準を個別同意（個別合意）の条件よりも下げておくこと

　就業規則で定める基準に達しない労働条件を個別に合意しても無効です（就業規則の最低基準効といいます。労働契約法12条）。

　たとえば、就業規則において最低賃金を月額30万円と定めている場合には、特定の従業員との間で賃金を月額20万円に減額するという合意をしたとしても無効です。

　したがって、仮に、就業規則で定める基準に達しない内容で個別合意をする場合には、その合意をする前に、あらかじめ就業規則を変更して、個別合意の基準より引き下げておく必要があります。

3 「自由な意思による同意」を得るように努めること

　労働条件の不利益変更に対する従業員の同意の効力については、慎重に判断するというのが判例の傾向です。たとえば、退職金放棄

の意思表示に関しては、「意思表示の効力を肯定するには、それが上告人〔筆者注：従業員のこと〕の自由な意思に基づくものであることが明確で……自由な意思に基づくものであると認めるに足る合理的な理由が客観的に存在」しなければならないとしています（最判昭和48年1月19日民集27巻1号27頁）。

　将来裁判になった場合に「自由な意思による同意」があったと認定されるために、従業員から個別同意を取得する際のポイントは以下のとおりです。

従業員から個別同意を取得する際のポイント

①　労働条件の変更の必要性、変更内容を具体的かつ明確に説明していること 　労働者が同意するか否かを自ら判断するために必要十分な情報を与えられていたというためには、変更の必要性等の情報提供や説明だけでは足りず、労働者に生ずる具体的な不利益の内容や程度について情報提供や説明がなされる必要があります（最判平成28年2月19日民集70巻2号123頁）。
②　労働者の立場に立ってみて、「これは変更してもやむをえないな」と思えるような事情（会社の経営が苦しいなど）があること
③　労働者の立場に立ってみて、「この程度の変更ならやむをえない」と思えるような程度の不利益であること
④　同意をするかどうかを熟慮する期間を与えたこと
⑤　同意しない場合の不利益をちらつかせないこと

　したがって、同意を取得する際には、説明会等を開いて、労働条件を変更せざるをえない理由と変更の内容を具体的かつ詳細に説明してください。その際、従業員が説明内容を理解していることを書面で確認してください。そして、従業員に熟慮期間（できれば2週間程度）を与えたうえで、同意書を取得してください。

4 労働基準法その他の法規に違反しないようにすること

　労働基準法その他の強行法規に違反する合意をしても無効です。たとえば、以下のような合意は無効になります。

① 従業員が債務不履行を行った場合の違約金や損害賠償の予定を定める合意（労働基準法16条）

　　ただし、あらかじめ賠償額について定めておくことを禁止するだけで、従業員が故意や不注意で、現実に会社に損害を与えてしまった場合に損害賠償請求を免れるということではありません。

② 労働時間、休憩、休日および年次有給休暇に関する労働基準法の定める基準（第4章）を下回る内容の合意（同法13条）

③ 労働することを条件として従業員にお金を前貸しし、毎月の給料から一方的に天引きする形で返済させる内容の合意（労働基準法17条）

④ 強制的に会社にお金を積み立てさせる内容の合意（労働基準法18条）

　　積立ての理由は関係なく、社員旅行費等従業員の福祉のためでも、強制的に積み立てさせることは禁止されています。ただし、社内預金制度等、従業員の意思に基づき賃金の一部を会社に委託することについては、一定の要件のもとで許されています。

書式：労働条件変更に関する同意書

株式会社○○○○御中

従業員氏名　○○　○○　㊞

同意書

　私は、私の労働条件が下記のとおりに変更されることを、本書面をもって同意いたします。
　なお、労働条件が変更される事項及び変更される理由については、○○において十分説明を受け、すべて理解しております。

記

変更日：令和○○年○○月○○日

変更内容適用開始日：令和○○年○○月○○日

変更内容：
(旧)
--。
(新)
--。

以上

Q3 合意による労働条件の不利益変更が有効となるための要件について判例の考え方を教えてください。

解説

　強行法規に違反しない限り、従業員の同意があれば、労働条件の不利益変更は有効です（Q1、Q2を参照してください）。そうすると、従業員の同意書面を取得しておけば、不利益変更が無効になる余地などないようにも思われます。

　しかし、判例は、労働条件の不利益変更に対する労働者の同意の有効性を非常に慎重に判断する傾向があります。その理由は、従業員は労働条件の不利益変更に同意したくないのが通常であり、それでも、同意書面を提出するのは、①従業員が変更内容を理解していないか、あるいは、②実体としては会社に同意を強制されたかのいずれかであることが多いという経験則があるからです。

　そのため、判例は、労働条件の不利益変更に対する労働者の同意が有効になる要件として「自由な意思による同意」という考え方を採用し、「自由な意思による同意」と認められるためには、(i)合意の内容が明確であること、(ii)「労働者の自由な意思に基づいてされたものと認めるに足りる合理的な理由が客観的に存在する」ことが必要であるとしています（最判昭和48年1月19日民集27巻1号27頁）。

　また、(ii)の要件の有無については、当該変更を受け入れる旨の労働者の行為（同意書面の提出行為等）の有無だけでなく、当該変更により労働者にもたらされる不利益の内容および程度、労働者により当該行為がされるに至った経緯およびその態様、当該行為に先立つ労働者への情報提供または説明の内容等に照らして判断すべきであるとしています（最判平成28年2月19日民集70巻2号123頁）。

Ⅱ 就業規則の不利益変更

Q4 就業規則を従業員にとって不利益な内容に変更するにはどうすればよいですか。

解説

1 就業規則の不利益変更の要件

　就業規則の変更という方法によって、労働条件を従業員に不利益に変更するためには、従業員の個別同意が必要です（労働契約法9条本文）。労働者全員の同意があれば、就業規則の変更が合理的かどうかは問題になりません。もっとも、労働者の労働条件に関する合意については「自由な意思に基づく同意」であることが必要です（「自由な意思に基づく同意」についてはQ2、Q3を参照してください）。

　個別同意がない場合には、①就業規則の変更について合理性が認められること、および、②変更後の就業規則の周知の2つの要件を充足する場合に限って、同意しない従業員に対して、変更後の労働条件が適用されます（＝不利益変更の効力が及びます）（労働契約法10条）。

　仮に、就業規則の変更について一部の労働者が同意せず、裁判になって当該就業規則の不利益変更について法律の要件を満たさないと判断されても、変更後の就業規則それ自体が無効になるわけではなく、同意しない労働者に対してのみ効力が及ばないだけです。

2　就業規則の変更について合理性が認められること

就業規則の変更について合理性が認められるか否かは、①労働者の受ける不利益の程度、②労働条件変更の必要性（会社側の事情）、③変更後の就業規則の内容の相当性（就業規則の内容自体の相当性、代償措置、他の労働条件の改善状況）、④労働組合等との交渉の経緯によって判断されます（労働契約法10条本文）。

もっとも、合理性の有無の判断は非常に難しいので、弁護士に相談することをおすすめします。

3　就業規則の周知等

①　次のいずれかの方法によって就業規則を周知する必要があります（労働基準法106条）。
(i)　常時各作業場のみやすい場所へ掲示し、または備え付けること
(ii)　書面を労働者に交付すること
(iii)　磁気テープ、磁気ディスクその他これらに準ずる物に記録し、かつ、各作業場に労働者が当該記録の内容を閲覧できる機器を設置すること（たとえば、労働者が閲覧できるイントラネット上に掲載する方法）等
②　過半数で組織する労働組合がある場合はその労働組合、そのような労働組合がない場合には過半数代表者（その事業場で働くすべての労働者の過半数を代表する者）の意見を聴く必要があります（労働基準法90条）。

過半数代表者は、(i)管理監督者でないこと、(ii)選任目的を明らかにして、投票・挙手等で選任する必要があります（労働基準法施行規則6条の2）。

第5章　従業員にとって不利益な内容に労働条件を変更する

③　労働基準監督署への届出が必要です（労働基準法89条）。

書式：就業規則の変更の説明書

　　　　　　　　　　　　　　　　　　　　　令和〇〇年〇〇月〇〇日

従業員の皆様

　　　　　　　　　　　　　　　　　　　　　株式会社〇〇〇〇

　　　　　　　　　　就業規則の変更について

1．制度変更の必要性
　　……
2．新制度の概要
　　……
3．従業員にとっての利益・不利益
　　……
4．変更する就業規則の規定

変更前	変更後

以上の就業規則変更につき、令和〇〇年〇〇月〇〇日、〇〇において説明会を開催いたしますので、質問等がございましたら、令和〇〇年〇〇月〇〇日までにお寄せください。

　　　　　　　　　　　　　　　　　　　　　　　　　　　以上

　　　　　　　　　　　　　　　　　　　　　令和〇〇年〇〇月〇〇日

株式会社〇〇〇〇御中

　　　　　　　　　　　　　　　従業員氏名　〇〇　〇〇　㊞

書式:就業規則変更の同意書

株式会社○○○○御中

令和○○年○○月○○日

従業員氏名　○○　○○　㊞

同意書

　私は、私の労働条件が改正就業規則によって下記内容に変更(不利益部分も含む)されることを、本書面をもって同意いたします。
　なお、労働条件が変更される事項及び変更される理由については、○○において十分説明を受け、すべて理解しております。

記

変更日:令和○○年○○月○○日

変更内容適用開始日:令和○○年○○月○○日

変更内容:就業規則○○条○項

変更前	変更後

以上

Q5

就業規則を変更して賃金を引き下げたいと思いますが、どのような要件を充足する必要があるのでしょうか。それぞれの要件を充足するためのポイントを教えてください。また、参考になる裁判例を教えてください。

解説

1 就業規則の変更により賃金を引き下げるための要件

就業規則の変更という方法によって賃金を減額しようとする場合、その有効性は厳格に判断されます。

判例（最判平成12年9月7日民集54巻7号2075頁）は、「特に、賃金、退職金など労働者にとって重要な権利、労働条件に関し実質的な不利益を及ぼす就業規則の作成又は変更については、当該条項が、そのような不利益を労働者に法的に受忍させることを許容することができるだけの高度の必要性に基づいた合理的な内容のものである場合において、その効力を生ずるものというべきである。」としています。

そして、この合理性の有無は、①労働者の受ける不利益の程度、②労働条件変更の必要性（会社側の事情）、③変更後の就業規則の内容の相当性（就業規則の内容自体の相当性、代償措置、他の労働条件の改善状況）、④労働組合等との交渉の経緯によって判断されます（労働契約法10条本文）。

2 それぞれの要件を充足するためのポイント

① 従業員の受ける不利益の程度について

「何割までの賃金カットが許容されますか」と質問を受けることがありますが、基準があるわけではありません。労働基準法91条は減給の上限として「賃金総額の10分の1」と定めて

いますが、これは懲戒処分としての減給の上限を定めるもので、賃金カットの場合の基準にはなり得ません。

　従前の判例は、20％を超える給与引下げは認めていないようです。しかし、コロナ禍の影響で景気の後退が顕著な社会情勢の下でこの傾向に変化が生じる可能性があります。たとえば、企業の存続自体が危ぶまれ、雇用を失うよりはましという評価ができるような事案の場合には、20％を超える給与引下げが認められる余地があります。もっとも、大幅な給与引下げを行う場合には、その他の要素について相応の事情が要求されることになります。

　また、一定期間の時限的措置とすることで、不利益の程度が少ないと評価されます。

② 使用者側における賃金減額の必要性の内容・程度

　使用者側の賃金減額の必要性の内容と程度としては、「当該企業の存続自体が危ぶまれたり、経営危機による雇用調整が予想されるなどといった状況にある場合」（人件費抑制の必要性が極度に高い場合）だけではなく、たとえば、「社会情勢や当該企業を取り巻く経営環境等の変化に伴い、企業体質の改善や経営の一層の効率化、合理化をする必要に迫られ、その結果、賃金の低下を含む労働条件の変更をせざるを得ない事態となる場合」（人件費抑制の必要性が高い場合）にも必要性が肯定されています。もっとも、後者の場合には、その他の要素について厳格に判断されることになります。なお、後者の判断は、経営政策上の判断という側面が強いのでその判断内容それ自体には一定の裁量が認められると解されますが、経営者がその判断に至った前提事実の認定や判断プロセスの過程はきちんと資料を残しておくことが重要です。

③ 変更後の就業規則の内容自体の相当性
i 引下げ後の賃金

　企業経営上、賃金水準切下げの差し迫った必要性があるのであれば、全社員に応分の負担を負わせる内容の方が相当性は肯定されやすいと解されます。

　また、特定の従業員の生活を困窮させるような内容は相当性が否定されやすくなります。

ii 代償措置その他関連する他の労働条件の改善状況

　代償措置として職務の内容を軽減することができればその分合理性は認められやすくなります。

iii 同種事項に関するわが国社会における一般的状況（最判平成12年9月7日民集54巻7号2075頁）

④ 労働組合等との交渉の経緯、他の労働組合または他の従業員の対応

　労働組合や従業員との交渉の経緯は非常に重要視される項目です。賃金減額の必要性を丁寧に説明し、できるだけ多くの従業員から同意を得るように努めてください。

　コロナ禍で景気が後退し、賃金カットを敢行する会社は増大するものと予想されます。他の企業の情報を集め、相場観を踏まえた範囲内での減額とすることが望ましいといえます。

3　参考となる裁判例

参考となる裁判例は以下のとおりです。

II　就業規則の不利益変更

【肯定例】

東京地判平成19年2月14日労判938号39頁

不利益の程度	賃金減額の必要性	労働者の交渉状況
2年間の時限的措置および10％の減額	企業評価の著しい低下を契機としてなされたものであるが、具体的に資金繰り上の支障までは生じていない	社員の98.7％が加入する労働組合ほか複数の労働組合の合意あり

東京高判平成26年2月26日労判1098号46頁

不利益の程度	賃金減額の必要性	労働者の交渉状況
平均8.1％の減額	恒常的な赤字に陥り、営業損失・経常損失を計上し、債務超過の時期もあったため	3年近くにわたり継続的に賃金減額に関する団体交渉を行った

東京高判平成30年10月16日労経速2366号35頁

不利益の程度	賃金減額の必要性	労働者の交渉状況
2年間の時限措置および約5％から10％の減額	労働条件の変更の必要性は高度の必要性であることは必要であるものの、当該労働条件の変更をしなければ、将来、経営破たんや雇用危機を迎えるなどといったとくに高度の必要性までは必要ではない	5回の団体交渉において説明を行った

【一部肯定例】

大阪地判平成22年2月3日労判1014号47頁

不利益の程度	賃金減額の必要性	労働者の交渉状況
賃金の20％減額の範囲で肯定	経営状況の悪化が外部的要因によるものであり、倒産回避のため	別の労働組合からは合意が得られている

【否定例】

東京地判平成14年7月31日労判835号25頁

不利益の程度	賃金減額の必要性	労働者の交渉状況
約25％の減額	経費削減の必要性あり	複数回にわたって労働組合と賃金減額をめぐる交渉をしてきた

神戸地判平成14年8月23日労判836号65頁

不利益の程度	賃金減額の必要性	労働者の交渉状況
特定支部の労働者の基準内賃金50％減額	回復の見込みのない赤字が続いているため、経営上必要かつ有効な経費削減策	組合の多数意思を反映したものとはいえない

第6章

普通解雇

I 普通解雇に関する一般的知識

Q1 普通解雇と懲戒解雇は何が違うのですか。普通解雇と懲戒解雇はどのように使い分けるのですか。

解説

1 普通解雇と懲戒解雇の違い

(1) 普通解雇

　民法627条1項では、期間を定めない雇用契約は、会社と従業員が自由に解約の申入れをすることができ、この申入れの時から2週間経過した時点で雇用契約が終了すると規定されています。普通解雇は、会社が従業員に対して、この解約申入れをすることを意味します。

　普通解雇は、従業員側に債務不履行事由がある場合や会社が賃金を支払うことができないような事情がある場合（整理解雇）に行われます。

　普通解雇は、民法627条1項に基づく解約申入れですので、就業規則等に根拠規定がなくても行うことができますが、労働契約法16条による制限があります。

(2) 懲戒解雇

　懲戒解雇は懲戒処分の1つであり、従業員の企業秩序違反行為に

対する制裁罰として行使されるものです（労働契約法15条）。

懲戒解雇は就業規則等に根拠がある場合しか行使することはできません。

(3) 普通解雇と懲戒解雇の違い

上記のとおり、普通解雇は、従業員側に債務不履行事由がある場合や会社側に賃金を支払うことができないような事情がある場合（整理解雇）に行われる解約申入れであるのに対し、懲戒解雇は従業員の企業秩序違反行為に対する制裁罰です。

したがって、傷病や健康状態に基づく労働能力の喪失や勤務能力・成績・適格性の欠如は、労働契約に基づく従業員の債務不履行という側面が強いですから、普通解雇の対象になりますが、企業秩序違反行為に該当するわけではありませんから、懲戒解雇の対象にはなりません。

これに対して、**職務懈怠**（欠勤、遅刻、早退、勤務態度不良等）、経歴詐称、非違行為・服務規律違反の場合は、債務不履行という側面と企業秩序違反という側面の両面がありますので普通解雇と懲戒解雇の双方の対象になります。

普通解雇と懲戒解雇とでは、懲戒解雇の方が従業員は大きな不利益を被ることになります。たとえば、普通解雇の場合、通常、30日前に解雇予告をするか、あるいは、即時解雇の場合には30日分の解雇予告手当を支払う必要がありますが、懲戒解雇の場合には除外申請をすることで解雇予告をせずに即時解雇をすることが可能になる場合が多いと思います（解雇予告についてはQ5を参照してください）。また、懲戒解雇の場合には、退職金の一部または全部を不払いとすることがあります（就業規則等でその旨の根拠規定があることが必要です）。加えて、懲戒解雇の場合、再就職が困難になるとい

う事実上の不利益があります。

2　普通解雇と懲戒解雇の使い分け

　労働能力の喪失や勤務能力・成績・適格性の欠如の場合、通常は普通解雇を行います。これに対して、職務懈怠（欠勤、遅刻、早退、勤務態度不良等）、経歴詐称、非違行為・服務規律違反の場合は、普通解雇と懲戒解雇の両方を行うことが可能ですので、どちらを選択するのかが問題になります。

　この点、従業員が詐欺・横領等の刑事罰に該当する行為を行った場合等、悪質性が特に高い事案の場合には、懲戒解雇を選択することが多いと思われます。かかる場合には、解雇予告手当を支払う必要はありませんし（ただし、解雇予告手当を支払わない場合は除外申請をしなければなりません）、退職金の減額等の制裁もやむをえないと考えられるからです（ただし、退職金を不支給とするためには、就業規則にその旨の根拠規定が必要です）。また、悪質性の高い行為に対しては厳罰をもって臨まなければ世間に示しがつかないという場合もあります。

　他方で、悪質性がそれほど高くない場合には、普通解雇を選択することが多いように思います。懲戒解雇は要件が厳しいことに加えて、従業員にとっての不利益が大きいので、紛争に発展する可能性が高いからです。

　なお、懲戒解雇と普通解雇のどちらか一方に絞らなければならないわけではありません。そのため、実務では、主位的に懲戒解雇、予備的に普通解雇の意思表示をするということがあります。

Ⅰ　普通解雇に関する一般的知識

Q2 普通解雇が認められるための要件を教えてください。普通解雇の要件はどの程度厳格に判断されるのですか。判例の傾向を教えてください。

解説

　普通解雇が認められるための要件は、解雇が法律上禁止されていないこと（Q4を参照してください）、解雇事由が存在すること（Q1を参照してください）、解雇をするだけの「客観的合理的理由があること」、および、解雇をすることが「社会通念上相当であること」です（労働契約法16条）。

　これらの普通解雇の要件のうち、実務で最も問題になるのは、「客観的合理的理由があること」と「社会通念上相当であること」の2つの要件の有無です。

1　「客観的合理的理由があること」

　「客観的合理的理由があること」は、労働契約を継続できないと認められる程度の債務不履行が認められるか否か、最終手段としてやむをえないと認められるか否かといった観点から判断されます。具体的には、①労働契約の継続を期待しがたいほど重大かつ深刻な解雇事由があること（東京地決平成13年8月10日労判820号74頁）、②解雇回避措置をとったにもかかわらず解雇事由が解消されないことの2つが要件です。このうち要件②は要件①が認められた場合にはじめて問題になる要件です。

　客観的合理的理由の有無を認定する際、判例は、上記①②の2つの要件について非常に厳格に判断する傾向があります。

　まず、上記①の要件については、Q6～Q8で事案類型ごとに解説しましたので、そちらを参考にしてください。

次に、上記②の解雇回避措置の要件としては、普通解雇に至る前に、(i)会社が従業員に対して注意・指導、是正警告等を行ったこと、(ii)職種転換、配置転換・出向等をしたこと等が要求されます。これらの解雇回避措置を講じたうえで、それでも解雇事由が解消されない場合にはじめて普通解雇が許されるのです。

　この解雇回避措置の要件は、とくに規模の大きい会社において、非常に高いハードルとなります。職種転換や配置転換によって解雇を回避することができる余地が大きいからです。

　もっとも、職種や勤務場所を限定して採用した従業員に対しては、限定された職種や勤務場所の範囲内で職種変更や配置転換を行えば解雇回避措置としては足りると解されています。そのため、職種や勤務場所を限定した従業員については、解雇の要件が大きく緩和されることになります。なお、職種限定や勤務場所限定の合意については、第4章Q7、Q8を参照してください。

2　「社会通念上相当であること」

　「社会通念上相当であること」は、従業員の情状（反省の態度、過去の勤務態度、年齢、処分歴、家族構成等）、他の労働者との均衡、解雇手続の適正さ等を事案ごとに勘案して、「解雇が過酷にすぎないか」という観点から判断されます。判例はこの要件についても厳しく判断します。

普通解雇の有効性

```
解雇が法律によって禁止されているか（Q4） ──→ 無効
    ↓ NO                        YES
解雇事由（Q1）があるか ──────────────→ 無効
    ↓ YES                       NO
労働契約の継続を期待しがたいほど重大かつ深刻か ──→ 無効
    ↓ YES                       NO
解雇回避措置を講じたか ──────────────→ 無効
    ↓ YES                       NO
解雇が社会通念に照らして酷ではないか ────→ 無効
    ↓ YES                       NO
   有効
```

Q3 即戦力として中途採用した管理職や高度専門職の場合、一般の従業員と同じ程度に普通解雇の要件は厳格ですか。

解説

　近時、会社内で調達できない専門的能力の人材を、転職市場からスペックを特定して調達する、即戦力中途採用（管理職・高度専門職）が増加しています。

　このような管理職や高度専門職の場合、一般従業員としての適格性ではなく、当該地位に要求される高度の専門能力や適格性の有無が判断の基準とされるため、解雇に「客観的合理的理由があること」の判断は一般の従業員に比べて緩和されます。

　また、解雇回避措置としての注意・指導、是正勧告は一般の従業員と同様に実施する必要がありますが、職種変更や配置転換については、予定された職種の範囲内において可能な措置を行えば足りることになりますので、解雇回避措置の要件も相当程度緩和されます。

　判例も、即戦力中途採用の場合には、採用の際に前提とした能力や資質を有しておらず、求めた人材スペックから大きくはずれる場合には、解雇を有効としており（東京地決昭和62年8月24日労判503号32頁、東京地判平成14年10月22日労判838号15頁、東京地判平成26年12月9日労経速2236号20頁）、普通解雇の要件を相当緩和する傾向が認められます。

　もっとも、裁判では、そもそも採用にあたってどのような能力や資質を前提としていたのかということ自体が争いになりますので、中途採用の場合には、どのような資質や能力を前提として採用したのかを、労働契約書等に明記するなどして、従業員と共通認識を形成しておくことが重要です。

Q4 普通解雇が無効になるのはどのような場合ですか。

解説

1 労働契約法 16 条の要件を欠く場合

労働契約法 16 条は普通解雇の要件として、解雇に「客観的合理的理由があること」、解雇が「社会通念上相当であること」を規定しています。この要件を欠く場合には、普通解雇は解雇権を濫用したものとして無効になります。この 2 つの要件については、Q2 を参照してください。

2 法律によって普通解雇が禁止される場合

法律によって普通解雇が禁止される場合があります。これらの場合には、労働契約法 16 条の要件充足性を問題にするまでもなく、普通解雇は当然に無効になります。

① 業務上の疾病の療養のために休業している間とその後の 30 日間（労働基準法 19 条 1 項）

② 女性の産前 6 週間と、産後 8 週間プラス 30 日間（労働基準法 19 条 1 項）

③ 労働基準監督署に対して労働基準法違反や労働安全衛生法違反の申告をしたこと等を理由とする解雇（労働基準法 104 条 2 項、労働安全衛生法 97 条 2 項、労働組合法 7 条 4 号、賃金支払確保法 14 条 2 項、雇用機会均等法 17 条 2 項）

④ 婚姻したこと、妊娠したこと、出産したこと、育児休業申出または育児休業を取得したことを理由とする解雇（雇用機会均等法 9 条 2 項・3 項、育児介護休業法 10 条、16 条）

⑤ 労働組合に加入したこと、正当な労働組合行為をしたことを理由とする解雇（労働組合法7条1号）

⑥ 企画業務型裁量労働制の適用を受けることに同意しないことを理由とする解雇（労働基準法38条の4第1項6号）

⑦ 国籍・信条・社会的身分を理由とする解雇（労働基準法3条）

⑧ 年次有給休暇を取得したことを理由とする解雇（労働基準法附則136条）

⑨ 労働者が女性であることを理由とする解雇（雇用機会均等法6条4号）

3 休職制度が定められている場合の私傷病を理由とする解雇

傷病により就労できない場合であっても、就業規則において休職制度が定められている場合には、まずは休職を認めなければなりません。休職命令を出さずに、いきなり普通解雇をしても、原則無効になります（Q6を参照してください）。

Q5 普通解雇の手続に関して注意すべき点を教えてください。

解説

1 普通解雇をする前に弁明の機会を与える

　普通解雇をする場合は、従業員に弁明の機会を与えてください。弁明の機会を与えたか否かが解雇の要件の1つである「社会通念上相当であること」（Q2を参照してください）の判断において考慮されます（弁明の機会を与えた方が解雇有効となる可能性が高くなるということです）。

2　解雇予告期間を設ける

　普通解雇をするには、30日以上前に予告するか、30日分の給与を支払う必要があります。予告期間である30日は、通知の翌日を1日目として30日目の経過までです。たとえば、解雇予告を支払うことなく4月30日に解雇をするためには、3月31日に解雇予告通知をする必要があります。

　解雇予告を行わなくても、解雇予告手当（30日分の給与）を支払えば即時解雇することができます。

3　解雇通知は書面で行う

　解雇通知は書面で行ってください（書式：解雇通知書参照）。裁判において解雇の意思表示の有無が問題になることがあるからです。

　また、解雇された従業員から求められた場合には、解雇理由証明書を交付しなければなりません（労働基準法22条1項・2項）。解雇通知書や解雇理由証明書には、解雇の時に認識していた事情を幅広

く記載してください。

　裁判になった場合、解雇通知書や解雇理由証明書に記載していなかった解雇事由を追加主張することが認められなくなるわけではありませんが、解雇通知書や解雇事由証明書に記載していない事実は、解雇時にはそれほど重要視していなかった事由であると判断されてしまう傾向があるからです。

書式：解雇通知書

令和○年○月○日
○○○○殿
株式会社○○○○
人事部長○○○○

解雇通知書

　貴殿の下記言動は、就業規則○○条○号の「……」に該当することから、当社は、就業規則○○条○項に基づき、30日後である平成30年○月○日付にて解雇を行う旨予告します。なお、○月分の賃金については、通常どおり、翌月25日に支給する予定です。

記

① 平成28年3月に「……」という業務指示を行ったにもかかわらず、当該業務を履行しないばかりか、「……」と述べるなどの反抗的態度を示した。
② ……

Ⅱ 私傷病を理由とする普通解雇

Q6 私傷病を理由とする普通解雇はどのような場合に認められますか。

解説

　従業員が私傷病を理由に労務の提供ができない場合、会社に休職制度が設けられているか否かによって解雇に関する取扱いが異なります。

1　会社が休職制度を設けている場合（就業規則等に休職の定めがある場合）

　会社が休職制度を設けている場合、まずは、休職命令を出してください。休職命令を出さずにいきなり普通解雇をしても無効になってしまいます（ごく例外的に有効となる場合があります）。休職命令を出した場合、休職期間が満了する際に復帰の可否を判断し、復帰ができないと判断する場合にはじめて退職（解雇）とします（詳細は第9章Q9を参照してください）。

2　会社が休職制度を設けていない場合

　会社が休職制度を設けていない場合、休職をさせずにいきなり普通解雇をすることが可能です。もっとも、傷病を理由とする普通解雇が認められるのは非常に限定的な場合だけです。①傷病が重大であり、②回復の見込みがなく、③配置転換しても対象者が遂行可能な業務が社内に存しないことが要件となります。

この①〜③の要件は、休職命令を出す場合の要件とほとんど同じですので、詳細は第9章Q1を参照してください。

Ⅲ 能力不足・適格性の欠如を理由とする普通解雇

Q7 能力不足・適格性の欠如を理由とする普通解雇が認められるのはどのような場合ですか。参考になる判例も教えてください。

解説

1 能力不足・適格性の欠如を理由とする普通解雇

　能力不足や適格性の欠如は普通解雇の事由となりえますが、解雇が認められる場合は非常に限定的です。

　具体的には、①能力不足等が重大かつ深刻で、②指導しても改善される見込みがなく、③配置転換しても対象者が遂行可能な業務が社内に存在しないことが要件です。

　ただし、③の要件に関しては、職種を限定して採用したような場合には、限定された職種の範囲内での配置転換を検討すれば足ります（Q2 を参照してください）。また、上級管理職や専門職（中途採用）の場合には、③の要件が緩和されます（Q3 を参照してください）。

2 参考になる判例

(1) 能力不足の程度に関する相場感

能力不足や適格性の欠如が労働契約の継続を期待しがたいほど重大か

つ深刻か否か（企業から排除しなればならない程度か）といった基準で解雇の可否を判断した判例（東京地決平成13年8月10日労判820号74頁）

平均的な水準に達していないというだけでは不十分であり、著しく労働能率が劣っていることが必要であるとし、人事考査の結果3回がいずれも下位10%未満の順位だった従業員に対する解雇を無効とした判例（東京地決平成11年10月15日労判770号34頁）

期待される成績・成果、能力の未達については、その原因が労働者にあるか否かが問題になるとした判例（東京地判平成23年9月21日労判1038号39頁）

上司のたび重なる指導にもかかわらず勤務姿勢は改善されず、かえって、過誤、事務遅滞のために、上司や他の従業員のサポートが必要になり、会社全体の事務に相当の支障が生じていた場合、普通解雇を有効とした判例（東京高判平成27年4月16日労判1122号40頁、第1審は解雇無効）

(2) 解雇回避措置の内容

従業員の債務不履行（服務規律違反）が解雇事由（適格性の欠如）に該当し、将来解消される見通しがあったとはいえない場合であっても、解雇が労働者にもたらす結果の重大性に鑑み、解雇回避努力（解雇回避措置）を尽くす必要があるとし、他の部署へ配置転換することで解雇を回避できる可能性を否定できない以上、解雇は無効であるとした判例（東京高判平成30年1月25日公刊物未搭載）

能力や適格性に相当な問題がある場合でも、解雇回避措置をとらずにいきなり解雇すると無効になるとした判例（東京高判平成7年6月22日労判685号66頁）

「被告は、原告の記事執筆ないし配信のスピードが遅いことについて、抽象的に指摘するにとどまり、原告との間でその原因を究明したり、問題意識を共有したりした上で改善を図っていく等の具体的な改善矯

正策を講じてい」なかった点を客観的合理性を否定する一事情とする判例（東京地判平成 24 年 10 月 5 日労判 1067 号 76 頁）
面談において「再評価の機会はこれが最後である」と従業員に伝えたが改善がみられなかった場合に解雇を有効とした判例（東京地判平成 15 年 12 月 22 日労判 871 号 91 頁）
反省・改善の機会を与えるため、3 か月の観察期間を置き、さらに、観察期間を延長したが改善がみられなかった場合に解雇を有効とした判例（東京地判平成 11 年 12 月 15 日労経速 1759 号 3 頁）

(3) 上級管理職や専門職（中途採用）の場合

部長職相当の幹部職としての職務を遂行することを予定して採用された従業員について、「経営陣や他の職員との間の信頼関係が維持されることが必要であると解すべき」とし、自らの責任に帰する事由によって雇用を継続することが困難な事由が生じており、また、相応の役職の幹部職員として雇用を継続することについても信頼関係の毀損によりもはや困難であるとして解雇を有効とした判例（東京高判平成 24 年 3 月 26 日労判 1065 号 74 頁）
（人事本部長として採用された労働者の解雇が問題になった事例について）「人事本部長として不適格と判断した場合に、あらためて異なる職位・職種への適格性を判定し、当該部署への配置転換等を命ずべき義務を負うものではない」とした判例（東京高判昭和 59 年 3 月 30 日労判 437 号 41 頁）
原告の職歴に着目し、業務上必要な日英の語学力、品質管理能力を備えた即戦力として判断して特別待遇で採用され、原告もそのこと理解していた事案について、雇用時に予定された能力をまったく有さず、これを改善しようともしないとして解雇を有効とした判例（東京地判平成 14 年 10 月 22 日労判 838 号 15 頁）
システムエンジニアとして採用されたにもかかわらず、通常半年程度で完成する業務に 4 年を費やした従業員に対する解雇を有効とした判

例（東京地判平成 15 年 12 月 22 日労判 871 号 91 頁）

期待される成績・成果、能力について労働契約でどのように合意されていたのかが争点となった判例（東京地判平成 24 年 10 月 5 日労判 1067 号 76 頁）

Q8 能力不足・適格性の欠如を理由とする解雇に関して実務上のポイントを教えてください。

解説

1 労働契約締結時の対応

　職種を限定した場合や特殊の地位・経験・能力に着目した中途採用の場合には、解雇の要件が相当緩和されます。裁判では、職種限定の有無やどのような地位・経験・能力を前提としていたかが争点となることが少なくありません。

　そのため、職種を限定して採用する場合には、労働契約書に「担当する職種を○○に限定する。ほかの職務には従事しない。」などと明記し、職種を限定した採用であることを明らかにしてください。単に、担当職務を記載しただけでは、職種限定の合意があったとは認められません。

　また、特殊の地位・経験・能力に着目した中途採用の場合は、雇用契約書等において、どのような特殊の地位・経験・能力があることを前提に採用したかを具体的かつ明確に記載してください。たとえば、「○の担当部長として、□の業務を行い、△年以内に◎という成果を出すことを前提に採用した。職務の遂行にあたっては、管理職として、▽の役割を果たすことが前提となっている。」などと記載してください。そうすることで、普通解雇の要件が緩和されます。

2 日常業務における対応

　解雇の要件は非常に厳格なので、能力不足・適格性が欠如した社員に対していきなり解雇をした場合、無効となるケースが多いと思

われます。時間をかけて、解雇が有効になるための事実を積み上げていく必要があります。

積み上げる事実は、業務不履行、業務命令、人事考査および人事処分です。業務命令は書面（業務指示書、改善命令書）で交付し、履行の有無を毎回確認してください（業務命令については第4章Q1を参照してください）。業務命令・指導をしても改善されない場合、あるいは、従業員が反抗して従わないような場合には、その事実を詳細に記録してください。

人事考査は、与えられた業務の達成不達成の有無、問題性等を詳細に記載するようにしてください。人事考査を行う担当者に対して、いいかげんに評価せず、きちんと評価を行うように指導してください。業務命令に違反した場合、まずは人事処分としての降格あるいは配置転換を検討してください（人事処分としての降格の可否については第4章Q12～Q15を、配置転換の可否については第4章Q5を参照してください）。

降格や配置転換を行ったにもかかわらず、業務が改善されない場合、「最後のチャンスである」旨の最終通告をしてください。

それでも改善されない場合、できるだけ退職勧奨による合意退職をめざしてください（退職勧奨の際の注意点は第10章Q8を参照してください）。

従業員が退職勧奨に応じない場合には、やむをえず解雇することになりますが、従業員が解雇に納得せず紛争になりそうな場合には、普通解雇の通知をする前に弁護士に相談してください。

Ⅳ 整理解雇

> 整理解雇はどのような場合に認められますか。

解説

1 整理解雇

　会社が、経営不振などの理由により、人員削減のために行う解雇（労働契約法16条）を整理解雇といいます。使用者側の事情による解雇ですから、整理解雇の有効性は厳しく判断されます。

2 整理解雇の要件

　整理解雇が有効か否かを判断するに当たっては、①人員削減の必要性、②解雇回避努力、③被解雇者の選定の妥当性、④手続の相当性に関する具体的事情を総合的に考慮した上で、整理解雇に客観的に合理的な理由があり、社会通念上相当であると認められるか否かによって判断されます（最判昭和58年10月27日労判427号63頁、東京高判昭和54年10月29日労判330号71頁）。

(1) 人員削減の必要性

　人員削減措置の実施が不況、経営不振などによる企業経営上の十分な必要性に基づいていることが必要です。
　単に生産性向上や利潤追求のためというだけでは上記必要性は否

定されますが、企業が倒産の危機に瀕している場合に限定されるわけではありません（大阪地判平成7年10月20日労判685号49頁）。

人員削減の必要はある種の経営判断的な側面がありますから、その有無を判断する際には、「①人員削減の要否という経営判断の前提となる事実認識の過程において、どの程度の情報を収集し、そのような視点からその分析・検討をしたか。②その事実認識に基づき、人員削減の必要性があるとの経営判断に至った意思決定の推論過程および内容にどの程度の合理性を認めることができるか」という判断枠組みを設定すべきとする見解が参考になります。この見解によって、整理解雇を検討する場合には、まず、客観的資料に基づき経営の状況を正確に分析することが重要であり、その分析に基づき事業を継続するために必要な方策とそのために必要な人員削減の内容を十分に検討すること、その検討過程を証拠として残しておくことが重要であるということになります。

(2) 解雇回避の努力

経費や役員報酬の削減、残業規制、新規採用の停止・縮小、昇給停止・賞与の減額・不支給、配置・出向・転籍、一時帰休、希望退職者の募集など他の手段によって解雇回避のために努力したことが必要です。

もっとも、上記に例示した解雇回避の措置をすべて講ずることが要求されているわけではなく、当該企業において可能な限りの措置をとって解雇回避の努力を尽くすことが重要であると解されています。

(3) 人選の合理性

整理解雇の対象者を決める基準が客観的、合理的で、その運用も

公正であることが必要です。

合理的な基準の例としては、勤務成績、勤務年数、労働者の生活上の打撃などがあげられます。

人選の基準については明示的な基準を定めて労働者に基準を提示した方が整理解雇が肯定されやすくなります。

(4) 解雇手続の妥当性

労働組合または労働者に対して、解雇の必要性とその時期、規模・方法について納得を得るための努力をする必要があります。

Q10 整理解雇について参考になる近時の判例を教えてください。

解説

1 経営状態の急激な悪化に伴う整理解雇

東京高判平成25年4月25日労経速2177号16頁（解雇有効）

人員削減の必要性	・リーマン・ショックによる景気減速の影響を受けて売上げが急減 ・消費税や社会保険料の支払いを留保して、ようやく従業員の給与等の支払原資を確保できるほどの厳しい経営状態であった ・従業員を大幅に削減することや、一律10％の賃金削減等を骨子とする再建のための計画案は合理的な内容である
解雇回避の努力	・ワークシェアリング ・希望退職者の募集
人選の合理性	・従業員との協調性を理由に被解雇者として選定することにも一定の合理性がある
解雇手続の妥当性	・4つ労働組合のうち3つの労働組合は再建のための計画案に同意した

2 主力事業の経営悪化に伴い当該事業を廃止することに伴う整理解雇

東京高判平成 30 年 10 月 10 日労経速 2391 号 28 頁（解雇有効）

人員削減の必要性	・主要な取引先との取引停止、赤字の解消が見込めない主力事業の廃止に伴う人員削減について必要性を肯定 ・会社に膨大な資産があり、継続的な収入がある以上、赤字が見込まれる事業であっても維持し続けなければならないということであれば、会社の経営の自由を侵害するものであるから不当であるし、清算の予定がなければ整理解雇が認められないことにはならない
解雇回避の努力	・配転・転籍の余地なし ・希望退職者の募集
人選の合理性	・事業撤廃に起因する人員削減であるから、当該事業に従事する従業員全員が対象となる
解雇手続の妥当性	・21 回にわたって労働組合と交渉

3 経営政策上の必要性に基づく整理解雇（特定の業務消滅による余剰人員の削減）

東京高判令和元年 12 月 18 日労経速 2413 号 27 頁、東京地判平成 30 年 10 月 31 日労経速 2373 号 24 頁（解雇有効）

人員削減の必要性	・業務提携によって営業部門がすべて別会社に移管され、それ以降、被告の同部門に係る業務は消滅した事案について人員削減の必要性を肯定

解雇回避の努力	・解雇が財務状況の悪化によるものではなく、経営政策上の必要性によるものであることに鑑みると、それ相応の解雇回避努力が尽くされる必要がある ・他の職種への配転は困難 ・出向先の確保 ・他の職種への社内公募の案内
人選の合理性	・直近3年間の成績評価が本件選定基準に達しなかったため、出向者の選定から除外されている、恣意的な操作は介在しておらず、やむを得ない
解雇手続の妥当性	・解雇に先立って、全体ミーティング、電子メール、書面による連絡を通じて、業務提携契約の内容、業務の消滅、出向に関する選定基準や選定の判断過程、退職パッケージの内容、社内公募の案内等について、自らの了知し得る情報について可能な範囲で繰り返し説明した ・約17か月分相当額および他社の再就職支援サービスからなる退職パッケージを繰り返し提示

第7章

懲戒処分

I 懲戒処分の一般的知識

Q1 懲戒処分をする際の一般的な注意事項を教えてください。

解説

懲戒処分をする際の一般的な注意事項は以下のとおりです。

1 根拠規定が必要

懲戒処分をするためには、就業規則等の根拠規定が必要です。根拠規定には、懲戒の種別（戒告、減給、出勤停止、諭旨解雇、懲戒解雇等）とその事由が明確に規定されていなければなりません（最判昭和54年10月30日民集33巻6号647頁、平成15年10月10日労判861号5頁）。このような根拠規定が存在しない場合には懲戒処分をすることはできません。

2 懲戒事由に加えて合理的理由と社会的相当性が必要

懲戒処分をするためには、所定の懲戒事由に該当するだけでは足りず、懲戒処分をするだけの客観的合理的理由があることおよび懲戒処分をすることが社会通念上相当であることが必要です（労働契約法15条）。不合理な理由に基づく場合や相当性を欠く懲戒処分は、懲戒権を濫用したものとして無効になります。

3 就業規則等の手続を履践しなければならない

懲戒処分をするにあたっては、就業規則や労働協約に定められた手続を遵守する必要があります。就業規則で賞罰委員会への付議、労働協約で組合との協議等が要求されている場合には、それらの手続を経なければ懲戒処分が無効になる可能性があります。

4 弁明の機会を与えなければならない

懲戒処分をするにあたっては、対象者に弁明の機会を与えてください。弁明の機会を欠く場合に懲戒処分を無効とする判例があります（東京高判平成16年6月16日労判886号93頁、東京地判平成24年11月30日労判1069号36頁）。

5 一事不再理

同じ事由に関して重ねて懲戒処分をすることはできません（一事不再理）。そのため、たとえば、懲戒事由の全容が判明する前にとりあえず軽い懲戒処分をしてしまうと、全容が判明した後に改めて重い懲戒処分をするということはできなくなる可能性があります。したがって、懲戒処分をする前に、事案の全容を把握するための調査を終える必要があります。

なお、いったん行った懲戒処分（懲戒免職）の取消判決が確定すると、懲戒処分がされていない状態に戻りますから、懲戒権者として、改めて同じ非違行為に対する懲戒処分（停職）をすることができます（東京高判平成30年10月24日公刊物未登載）。

6 その他

① 懲戒処分の時に労働者に通知する懲戒事由として、会社が処

分の時に認識していた事情は全部（できるだけ幅広く）記載してください。後日、懲戒処分の有効性が争われて訴訟になった場合には、懲戒事由として記載していない事実については、懲戒事由として主張できなくなる可能性があるからです（懲戒処分の事由となしうるのは、懲戒処分の時に使用者が認識していた事実だけです（最判平成8年9月26日労判708号31頁）。通知書に記載されていないと、懲戒処分時に認識していたことが証明できないことがあります）。

② 非違行為から相当期間経過後になした懲戒処分は無効になる可能性があります（最判平成18年10月6日労判925号11頁、東京地判平成24年3月27労判1053号64頁）。したがって、懲戒処分の検討はすみやかに進める必要があります。

Q2 出向中の従業員に対しては、出向先と出向元どちらが懲戒処分をするべきですか。

解説

　出向中の従業員については、出向元との間の労働契約は継続する一方で、出向先の勤務管理や服務規律に服することになります。出向先と出向元のいずれが懲戒権を有するかについては、従業員、出向元および出向先の三者間の合意内容によって決定されます。

　もっとも一般的には、懲戒解雇以外の懲戒処分は出向先でも行うことができ、懲戒解雇については、労働契約の基本的な部分に関するものなので、出向元しかなしえないと解される場合が多いと思います。

　したがって、通常の出向の場合、懲戒解雇をするためには、出向元において事情聴取を行い、所定の手続を経る必要があります。

出向中の労務関係（通常の場合）

	出向元	出向先
解雇権	○	×
解雇以外の懲戒権	△	○
安全配慮義務・使用者責任	△	○
労働安全衛生法・労災保険法上の責任	×	○
労働基準法上の責任	当該事項において実質的権限を有する会社	当該事項において実質的権限を有する会社

> **Q3** 不祥事を行った従業員の上司に対して懲戒処分をしようと考えていますが、何か問題はありますか。また、相場感を教えてください。

解説

　部下が不祥事を行ったとしても、そのことだけで上司に懲戒処分をすることができるわけではありません。上司に対する懲戒処分が認められるのは、部下が不祥事を起こしたことに関して、上司自身に何らかの注意義務違反（管理不行届）が認められる場合です。この注意義務違反が認められるためには、①部下の不祥事を具体的に予見することができたこと、②部下による不祥事の発生を防止できたことが必要です。

　また、上司に対して懲戒処分をする場合には、上司本人から事情聴取を行い、弁明の機会を与える必要があります。

　上司の過失の程度は不祥事を起こした従業員自身よりも軽いことが多いと思います。その場合、懲戒処分としては、不祥事を起こした従業員より軽い処分（戒告や減給）を選択するべきでしょう。

　これに対して、上司が部下のセクハラ行為や違法な長時間残業が行われていることを知りながら放置し、これにより重大な被害が生じたような場合あるいは、部下の非違行為を上司が隠蔽した場合には、上司に対しても重い懲戒処分を選択することがあります。

上司に対する懲戒処分の相場感

行為態様	懲戒処分	人事処分等
指導・監督不適正	戒告・減給	降格
非違行為の隠蔽・黙認	減給・出勤停止	降格

Ⅰ 懲戒処分の一般的知識

Q4 懲戒処分をする際の具体的な手順を教えてください。

解説

懲戒処分をする際の手順は以下の1から5のとおりです。

1 事実関係の確定

懲戒処分の対象となる事実関係を確定してください。この事実はできるだけ具体的に特定することが必要です。たとえば、「令和元年5月5日午後5時ころ、会議室B内で、Aは、同僚のB女に対して、他の人事部社員3名の面前で、大声で『○○』と述べた。」などのように、いつ、どこで、誰が、何をどのような態様で行ったかを具体的に特定してください。事実関係を確定するための方法は第8章Q6を参照してください。

2 就業規則の懲戒事由を確認

1で確定した事実が、就業規則で定められたどの懲戒事由に該当するかを検討します。1つの事実が複数の懲戒事由に該当する場合もありますので、該当する懲戒事由をもれなく拾い上げてください。

3 弁明の機会の付与

対象者に弁明の機会を与えます。弁明の機会を欠く懲戒処分は無効になる可能性があるからです。

4 懲戒処分の決定

就業規則に定められた会議体（懲罰委員会や取締役会）で懲戒処分を決定します。就業規則に定めがない場合には、任意の方法で決

定してかまいません。

どの懲戒処分を選択するかについてはQ5を参照してください。

5 懲戒処分の告知

懲戒処分を被懲戒者に告知します。この場合、該当する懲戒事由をもれなく記載した書面を交付してください（書式：懲戒解雇通知書参照）。

書式：懲戒解雇通知書

令和○○年○○月○○日

○○　○○　殿

○○○○株式会社
代表取締役　○○　○○

懲戒解雇通知書

　当社は、貴殿に対して、下記のとおり懲戒処分に処することが決定しましたので、通知いたします。

記

1　懲戒処分の内容
　令和○○年○○月○○日付けで貴殿を懲戒解雇とする。

2　懲戒処分の理由
　貴殿は、令和○○年○○月○○日に……。
　上記行為は、就業規則第○条第○号、○号、○号及び○号に該当するので、同第○条○号に基づき、令和○○年○○月○○日付けで貴殿を懲戒解雇としました。

以上

Q5 懲戒処分を選択する際に考慮すべき事情を教えてください。また、懲戒処分と人事処分（降格等）を重ねてすることは可能ですか。

解説

1 懲戒処分の選択の重要性

　重すぎる懲戒処分は違法・無効です（労働契約法15条）。そればかりか、必要以上に厳しい事情聴取を行ったうえ、不相応に重い処分をしたことが違法行為に該当するとして慰謝料の支払いを命じた判例すらあります（東京地判平成25年1月29日労判1071号5頁）。

　しかし、懲戒処分が違法・無効になることをおそれて不相応に軽い懲戒処分を選択したのでは企業秩序を維持することはできません。相応な懲戒処分を選択することが重要です。

　相応な懲戒処分を選択する方法としては、同種事例の裁判例を参考にして相場感を把握するしかありません（Q10〜Q16を参照してください）。社内の過去事例を参考にする会社が多いようですが、「当社ではこれまで同じような事例に対して、このような懲戒処分を行ってきました」という主張は、裁判では通用しないことが多いと思います。

2 懲戒処分を選択する際に考慮すべき事情

　懲戒処分を選択する際に考慮すべき事情は次のとおりです。

(1) 懲戒の対象たる行為の性質および態様（労働契約法15条）および会社に生じた損害

　懲戒の対象たる行為の性質および態様から、企業秩序違反の程度を判断します。たとえば、セクハラ1つとっても、それがわいせつ

な言辞にとどまる場合と強制わいせつに該当するような場合では企業秩序違反の程度はまったく異なります。

また、行為の結果として会社に生じた損害の有無、内容、程度も考慮します。考慮すべき損害は、財産的なものに限定されるわけではありません。会社の名声を低下させてしまったことや他の従業員への事実上の悪影響等も斟酌してかまいません。

(2)　被懲戒者たる従業員の主観

被懲戒者たる従業員の主観が害意（会社に積極的に損害を与える意図があった場合）、故意（結果が生じることはわかっていたがやめなかった場合）あるいは過失（不注意）のいずれであったのかを考慮します。当然、害意や故意の場合は過失の場合よりも重い懲戒処分が妥当します。

(3)　過去に懲戒処分を受けたことがあるか？

過去に懲戒処分を受けたにもかかわらず、同種の行為を繰り返した場合、従業員に不利な事情として斟酌します。

(4)　反省の程度その他の情状

被懲戒者たる従業員が不合理な弁明を繰り返すなど反省の色がうかがわれない場合には、不利な事情として斟酌します。

3　懲戒処分と人事処分

同じ事由に関して重ねて懲戒処分をすることはできません（一事不再理、Q1を参照してください）。

それでは、同じ事由に関して、懲戒処分と人事処分を重ねてすることができるのかというのがここでの問題です。

結論からいうと、懲戒処分と人事処分は目的が異なるので、重ねてすることができると解されています。

　たとえば、セクハラをした管理職に対する30日間の出勤停止処分（懲戒処分）と管理職手当と減給を伴う降格処分（人事処分）を有効とした判例があります（最判平成27年2月26日労判1109号5頁）。

　もっとも、人事処分が、企業秩序違反に対する制裁として行ったものと評価される場合等実質的には懲戒処分と同視されるような場合には懲戒処分と重ねてなされた人事処分が無効となる可能性があると考えます。

> **Q6** 懲戒処分は社内で公表する必要がありますか。

解説

　会社は懲戒処分を公表する義務を負っているわけではありませんが、企業秩序維持という観点から、懲戒処分を社内で公表する会社は多いようです。

　仮に、懲戒処分を社内で公表する場合には、被懲戒者が識別されないような内容にとどめてください。また、被害者またはその関係者のプライバシー等の権利利益を侵害するおそれがある場合には公表を差し控えてください（東京地判昭和52年12月19日労判304号71頁）。

　後に懲戒処分が無効になった場合に、懲戒処分を公表した行為が名誉毀損等の不法行為に該当するとした判例があります（東京高判平成元年2月27日労判541号84頁、大阪地判平成11年3月31日労判767号60頁、東京地判平成14年9月3日労判839号32頁）。

　懲戒処分の公表の要否を判断する際には、人事院の「懲戒処分の公表指針について」（平成15年11月10日総参－786）が参考になります。

懲戒処分の公表例

①	懲戒事由	欠勤（就業規則○条）
②	処分日	令和○年○月○日
③	処分の内容	減給○円
④	事案の概要	再三の指導にかかわらず欠勤を繰り返した。

II 懲戒処分の種類

Q7 懲戒処分にはどのような種類がありますか。戒告またはけん責処分をする際の一般的な注意事項を教えてください。

解説

1 懲戒処分の種類

懲戒処分には、軽い順に、①戒告（けん責）、②減給、③出勤停止、④降格、⑤諭旨解雇、⑥懲戒解雇があります。会社は、これらの懲戒処分のうち、就業規則に規定のある懲戒処分のみを選択することができます。

2 戒告（けん責）

戒告は将来を戒める処分のことを指し、そのうち始末書を提出させることをけん責といいます。懲戒処分のなかでは最も軽い処分です。軽い処分ですので、この処分の有効性を争って訴訟にまで発展することはほとんどありませんし、判例も懲戒事由の該当性に関して重大な事実誤認があったり、その評価が明らかに不合理な場合でない限り、戒告処分が違法無効となることはないと判断しています（東京高判令和元年12月4日公刊物未登載）。もっとも、懲戒事由が認められない場合等、けん責処分であっても違法・無効となる場合があります（東京地判平成25年1月22日労経速2179号7頁）。

けん責処分については、始末書の提出をしないことを理由にさら

に懲戒処分をすることができるかが問題となりますが、懲戒処分はできないと解されています（高松高判昭和46年2月25日労民集22巻1号87頁）。もっとも、始末書の不提出については、その後の人事考課や配置昇進に関する判断において考慮することは許されます。

Q8 減給処分をする際の注意事項を教えてください。

解説

　減給に関しては、労働基準法91条において上限額が規定されていますので注意が必要です。その内容は、1回の事案に対して、減給処分の上限は平均賃金の1日分の半額です。懲戒の対象となる事案が2つある場合、たとえば、それぞれについて別個の減給処分をすることができます。懲戒の対象となる事由が複数ある場合、減給処分の総額は一賃金支払期の賃金の総額の10分の1を超えることはできません。

　具体的には、月給60万円の場合、1日の給与は2万円ですので1回の事案に対する減給は1万円が上限です。非違行為が10回あった場合に、総額10万円の減給処分が可能ですが、6万円を超える部分は次期の賃金支払時の賃金から差し引かなければなりません。

　上記の制限は賞与から減額する場合も同様で、平均賃金の1日分の半額分以上を減額することは認められません。

　実務では、賃金額を将来に向けて一定期間にわたってより低額に変更することが減給処分として許されると勘違いされていることがありますが（ただし、減給金額の総額が平均賃金の1日分の半額以下であればこのような処分も可能です）、これは誤りです（国家公務員についてはこのような減給処分が認められていますが、労働基準法上はこのような減給処分は認められていません）。

　このように懲戒処分としての減給処分は、世間一般で認識されているよりも軽い処分です。

出勤停止をする際の注意事項を教えてください。

解説

　出勤停止とは一定期間労働義務の履行を停止する処分です。通常は無給ですし、勤続年数にも通算されません。人事処分としての自宅待機命令とは別物です（自宅待機命令については第4章Q4を参照してください）。

　出勤停止の期間次第ですが、減給処分に比べて相当に重い処分となりえますので、安易に出勤停止を選択することのないように注意してください。

　また、出勤停止期間が不相応に長い場合は権利の濫用となります。実務では、3日から1か月程度を定めることが多いと思われます。

出勤停止に関して参考になる判例

①	会社を批判する当初行為に対する数次の注意・警告後の3か月間の停職処分は有効である（東京地判平成9年5月22日労判718号17頁）。
②	女性部下に対して悪質なセクハラ言動を反復継続して行った管理職2名に対する出勤停止処分（10日間と30日間）は有効である（最判平成27年2月26日労判1109号5頁）。
③	自己の紛争に関する文書を理事等に送付した職員に対する3日間の停職処分は有効である（東京高判平成16年10月14日労判885号26頁。原審〔東京地判平成16年5月14日労判878号49頁〕は無効）。
④	病院の方針に従わず、検査室を私的に占有したこと等を理由とした3か月の停職処分は無効である（東京地判平成26年7月17日労判1103号5頁）。

Ⅲ 各種事例における具体的対応と懲戒処分の相場感

Q10 遅刻や早退を繰り返す従業員に対してはどのような対応をすべきですか。

解説

　遅刻・早退は、企業秩序遵守義務違反であるとともに、労働契約上の労務提供義務違反にも該当します。したがって、内容次第では、懲戒処分（就業規則に懲戒処分の根拠規定があることが前提です）だけではなく、普通解雇の対象にもなります。

　遅刻や早退を繰り返す従業員に対しては以下のような対応をとってください。

1 不就労分の減額

　欠勤・遅刻した場合、労務を提供しなかった部分（不就労相当分）の賃金は支払う必要がありません（民法624条1項。ノーワークノーペイの原則）。これは懲戒処分ではありません。

2 注意・指導、懲戒処分

　遅刻・早退をきちんと管理してこなかった場合には、勤怠管理のあり方を改善し、従業員全員に周知してください。遅刻・早退をこれまで放置してきた場合、懲戒処分をしても無効になる可能性があります。

また、遅刻・早退は、企業秩序遵守義務違反の程度が大きいとまではいえませんので、いきなり重い懲戒処分をしても無効になる可能性が高いと思われます。まずは、口頭注意・指導を行い、それでも繰り返すような場合には、たとえば、「戒告2回→減給3回→出勤停止2回」等のように、懲戒処分を徐々に重くしていってください。

　このようなステップを経たにもかかわらず、従業員に反省の色が見受けられず、かつ、遅刻・早退の数が異常に多い場合に、普通解雇・懲戒解雇が認められる余地が生じます。もっとも、遅刻や早退の数が多いというだけで、普通解雇や懲戒解雇が認められる事案というのは非常にまれだと思います。そのため、実務では、普通解雇や懲戒解雇をする前に退職勧奨を行うのが通常です。

　このように、遅刻・早退を繰り返す従業員に対しては、徐々に懲戒処分を重くし、さらに退職勧奨を行うというステップを踏む必要があります。

　これに対して、職務の性質上、遅刻・早退によって会社に重大な損害が生じる場合には、このようなステップを経ることなく、ただちに普通解雇や懲戒解雇をする余地があります。たとえば、医師が手術に遅刻した場合等が考えられます。限界事例として、アナウンサーが2回遅刻して定時ニュースを放送できなかった事案において、解雇は無効であるとした判例（最判昭和52年1月31日労判268号17頁）があります。この判例は、故意で遅刻をしたわけではなく、また、反省していること等の事情を加味して従業員を救済したものだと考えられます。

Ⅲ 各種事例における具体的対応と懲戒処分の相場感 195

Q11 正当な理由がなく欠勤した従業員に対してはどのような対応をとるべきですか。また、懲戒処分の相場感と参考になる判例等を教えてください。

解説

1 正当な理由がなく欠勤した従業員に対する対応

正当な理由がない欠勤は、企業秩序遵守義務違反であるとともに、労働契約上の労務提供義務違反にも該当します。したがって、内容次第では、懲戒処分（就業規則に懲戒処分の根拠規定があることが前提です）だけではなく、普通解雇の対象にもなります。

正当な理由がない欠勤とは、通常は無断欠勤（事前に連絡なく欠勤すること）のことを指しますが、他方で届出さえすれば自由に欠勤できるわけではありません。理由次第では欠勤を許可しない場合もありえますし、虚偽の理由を届け出た場合はそれ自体が懲戒処分の対象になりえます。

欠勤をした従業員に対しては以下のような対応をとってください。

(1) 不就労分の減額

欠勤した場合、労務を提供しなかった部分（不就労相当分）の賃金は支払う必要がありません（民法624条1項。ノーワークノーペイの原則）。これは懲戒処分ではありません。

(2) 注意・指導、懲戒処分

従業員が連絡なく欠勤した場合、まずは、従業員に連絡をとり欠勤した理由を確認してください。体調不良で会社に連絡することができなかった場合のように、欠勤に正当な理由がある場合があるか

らです。

　欠勤した理由に正当な理由がない場合には、従業員に対して注意・指導を行うとともに、懲戒処分を検討します。正当な理由がない欠勤は、企業秩序遵守義務違反の程度はある程度大きいと評価されますが、行為態様によって選択しうる懲戒処分は異なります。

2　正当な理由がなく欠勤した従業員に対する懲戒処分の相場感

　従業員が無断欠勤を行った場合の懲戒処分等の相場感は以下のとおりです。欠勤期間のほかに、欠勤した理由の悪質性、欠勤により会社に生じた損害等を加味して懲戒処分を選択してください。なお、懲戒処分と人事処分等の関係についてはQ5を参照してください。

正当な理由がない欠勤に対する懲戒処分等の相場感

行為態様	懲戒処分	人事処分等
欠勤期間が2週間未満	戒告、減給、出勤停止	降格
欠勤期間が2週間以上	諭旨解雇、懲戒解雇	普通解雇

3　参考になる判例等

　正当な理由がなく欠勤した従業員に対する懲戒処分の相場感を考えるうえで、参考になる判例・通達を紹介します。

(1) 参考になる判例

① 数回の無断欠勤があったもののそれまでの勤務態度からして無断欠勤が常習化しているとは認められない場合、懲戒解雇は無効（長野地松本支判昭和54年6月13日労判329号53頁）。

② 業務に具体的に支障が生じなかった場合、懲戒解雇は無効

(仙台地決平成2年9月21日労判577号55頁)、欠勤に至る原因が会社にあった場合、懲戒解雇は無効(福岡高判昭和50年5月12日労判230号54頁)。

③　全出勤日数の3分の1を不出社、たび重なる注意・指導、けん責処分を受けた後も業務上の必要性が認められない外出行為がある場合、諭旨解雇は有効(東京地判平成21年11月27日労判1003号33頁)。

④　傷病欠勤が5年間のうち、2年4か月に及び、遅刻も多い従業員に対する普通解雇は有効(東京地判平成12年7月28日労判797号65頁)。

⑤　正当の理由なく2週間以上欠勤をしたことを理由になされた普通解雇は有効(東京高判平成30年5月17日公刊物未登載)。

(2)　通達(昭和23年11月11日基発第1637号、昭和31年3月1日基発第111号)

原則として2週間以上正当な理由なく無断欠勤し、出勤の督促に応じない場合には「労働者の責に帰すべき事由に基いて解雇する場合」(労働基準法20条1項)に該当します。

Q12 経歴詐称が発覚しました。解雇したいのですが認められますか。参考になる判例等を教えてください。

解説

1 経歴詐称が発覚した場合に解雇が認められるか？

入社の際に職歴、学歴、犯罪歴を秘匿・詐称した場合であっても、必ずしも解雇が認められるわけではありません。解雇が認められるのは、「会社が真実を知っていたならば雇用契約を締結しなかった」という因果関係が認められる場合だけです。

また、上記のような因果関係が認められたとしても、従業員が長年にわたって問題なく業務を遂行してきたような場合には解雇が認められなくなる可能性があります。

なお、経歴詐称を理由に懲戒解雇をするためには、就業規則において、懲戒解雇の事由として「重大な経歴詐称」、「労使間の信頼関係を喪失せしめるとき」等の規定があることが必要です。

2 参考になる判例等

経歴詐称が発覚した場合の解雇の可否を判断するうえで、参考になる判例・通達を紹介します。

(1) 判例

ア 解雇が認められるのは重要な事項に関する経歴詐称だけであるとした判例

重要な経歴を詐称したような場合、すなわち、会社が真実を知っていたならば従業員を採用しなかったであろうという因果関係がある場合に限り解雇は有効（東京高判昭和56年11月25日判タ460号

139頁)。

今後の雇用契約の継続を不可能とするほどに信頼関係を大きく破壊するに足る重大な経歴を詐称した場合に限り解雇は有効（東京高判平成29年10月18日労判1176号18頁、さいたま地判平成29年4月6日労判1176号27頁）。

　イ　経歴詐称を理由とする解雇を有効とした判例

学歴と犯罪歴を詐称した事案（最判平成3年9月19日労判615号16頁）、職歴と前科を詐称した事案（東京地判平成22年11月10日労判1019号13頁）、担当業務の担当歴や能力について詐称していた事案（東京地判平成27年6月2日労経速2257号3頁、東京地判平成6年3月30日労判649号6頁）、前の会社で解雇になった事実を秘匿していた事案（東京地決昭和57年7月7日労判390号17頁）において解雇は有効。

　ウ　経歴詐称を理由とする解雇を無効とした判例

犯罪歴、職歴、学歴の詐称であっても担当職務に影響がない場合や軽微な場合には解雇は無効（東京高判昭和56年11月25日判タ460号139頁、札幌高判平成18年5月11日労判938号68頁、仙台地判昭和60年9月19日労判459号40頁、佐賀地判昭和51年9月17日労判260号32頁）。

　エ　質問されていない事項について回答しなくても信義則上の義務に違反しないとした判例

告知すれば採用されないことが予測される事項について、告知を求められたり、質問されたりしなくとも、自発的に告知する法的義務があるとはいえず、告知義務違反を理由とする解雇は無効（東京地判平成24年1月27日労判1047号5頁、佐賀地判昭和51年9月17日労判260号32頁）。

(2) 通達（昭和23年11月11日基発第1637号ほか）

「雇入れの際の採用条件の要素となるような経歴を詐称した場合及び雇入れの際、使用者の行う調査に対し、不採用の原因となるような経歴を詐称した場合」には、「労働者の責に帰すべき事由に基づいて解雇する場合」（労働基準法20条1項）に該当します。

Q13
業務命令に従わない従業員に対してどのような対応をすべきですか。また、懲戒処分の相場感と参考になる判例を教えてください。

解説

1 業務命令に従わない従業員に対する対応

業務命令違反は、懲戒処分の対象になります（就業規則に懲戒処分の根拠規定があることが前提です）。もっとも、懲戒処分が認められるのは、業務命令自体が有効であることが前提です（業務命令の有効性については、第4章Q1、Q2を参照してください）。

業務命令違反は、通常は、企業秩序遵守義務違反の程度はそれほど大きいとはいえませんので、まず口頭注意→書面での警告（是正勧告）を行い（書式：業務命令違反に対する警告書参照）、それでも繰り返す場合に懲戒処分を検討します。

2 懲戒処分等の相場感

業務命令違反を理由とする解雇が認められるのは、業務命令に違反する行為の性質および態様が悪質であり、かつ、会社の企業秩序を現実に侵害しあるいはその現実的かつ具体的な危険性を有していることが必要です。

もっとも、1つひとつの非違行為はそれほど重大でなくても、業務命令違反が相当回数に及び、指導や是正勧告を重ねても改善の余地が認められないような場合には解雇（業務命令に従わず業務を行わない場合には懲戒解雇までは認められず、普通解雇の可否が問題となるのが通常である）が認められる余地があります。なお、懲戒処分と人事処分等の関係についてはQ5を参照してください。

業務命令違反に対する懲戒処分等の相場感

行為態様	懲戒処分	人事処分等
命令した業務をしない	戒告	
命令した業務をしないことが繰り返された	戒告、減給、出勤停止	降格
命令した業務をしないために会社に損害が発生した		
業務命令違反が複数回繰り返され、会社に現実に損害が発生し、改善の見込みがない	諭旨解雇、懲戒解雇	普通解雇

3 参考になる判例（解雇が有効とされた限界事例）

① 全体で統一的・継続的な事務処理が要求されている事柄について、自己の方針・態度を変えない、日頃上司から注意を受けていたのにこれを聞き入れずほとんど改善することがなかったため4回にわたるけん責処分を受けたが、それでも態度に変化がない場合、解雇は有効（東京高判平成14年9月30日労判849号129頁）。

② 約3年間にわたり、それぞれの時期における担当業務の遂行能力が不十分であったうえ、上司から業務命令を受けたり、上司や同僚から指摘や提案を受けたりしても、自らの意見に固執して聞き入れない態度が顕著である、取引先からのクレームにおいても同様の態度をとり、それが原因で担当者の交代を含む改善を求められた、自らの思い込みに基づき上司や同僚のみならず、会社内の他の部署に攻撃的で非常識な内容を含むメールを送信したなどの事情が認められる場合、普通解雇は有効（東

京高判平成25年3月21日労判1073号5頁）。

③　上司のたび重なる指導にもかかわらず勤務姿勢は改善されず、かえって、過誤、事務遅滞のために、上司や他の従業員のサポートが必要になり、会社全体の事務に相当の支障が生じていた場合、普通解雇は有効（東京高判平成27年4月16日労判1122号40頁）。

④　業務指示に従わず、改善が見られないことから、まず、軽い懲戒処分（譴責）を発し、さらにその3か月半後により重い懲戒処分（出勤停止処分）を課したが、どちらの懲戒処分後も、自省的な反省と改善が見られず、上司や元上司等に対する他罰的言動を繰り返した場合、普通解雇は有効（東京高判令和元年10月2日労判1219号21頁）。なお、原審は、有効な本件業務指示を拒否する原告の希望どおりに異動を許せば、企業秩序を維持することはできないし、二度にわたって懲戒処分を行っており、解雇回避努力を尽くしていると評価できると判示する（横浜地判平成31年3月19日労判1219号26頁）。

書式：業務命令違反に対する警告書

○○　○○　殿

令和○○年○○月○○日
○○○○株式会社
人事部長　○○　○○

警告書

1．貴殿は、令和○○年○○月○○日及び同年○○月○○日に、貴殿の上司である○○　○○から口頭注意を受けたにもかかわらず、以下の行為を行いました。
　日時：令和○○年○○月○○日の午前○○時頃

場所：○○ビル○階の営業部フロアー
　　行為：○○

2．上記の行為は、職場の秩序を乱すものであるとともに、当社の就業規則第○条第○号に違反します。今後、貴殿がこのような行為を行わないよう本書面をもって警告します。
　なお、この警告を受けたにもかかわらず、貴殿が再度同様の行為を行った場合には、当社は貴殿に対して、上記行為も含めて厳重な処分を行う方針です。

以上

Ⅲ 各種事例における具体的対応と懲戒処分の相場感

> **Q14** 従業員が職務に関連して犯罪行為を行った場合どのような対応をすべきですか。また、懲戒処分の相場感・参考になる判例を教えてください。

解説

1 従業員が犯罪行為を行った場合の対応

(1) 犯罪行為の特定と証拠保全

　従業員の犯罪行為を特定します。特定すべき事項は、たとえば、横領行為であれば、いつ、どのような手口で、いくらを着服したのかなどです。

　いきなり本人から話を聞いても、否認したり、証拠隠滅したりする可能性がありますので、まずは、被害者等から事情聴取を行い、さらに、入出金伝票等書類や本人に貸与しているパソコン等を保全してください（必要に応じて業務命令としての出勤停止命令を出します。出勤停止命令については第4章Q4を参照してください）。

　次に、本人からの事情聴取をします。

　事情聴取にあたっては、脅迫や利益誘導（たとえば「正直にいえば、懲戒はしない」など）を行ってはなりません。本人からの事情聴取の結果は、本人に確認させたうえで、書面の末尾に、「上記内容に相違ありません。」との確認文言および署名を取得してください。

(2) 被害弁償

　従業員が犯罪行為を認めている場合、被害弁償を求めます。ただちに被害弁償ができない場合には、債務弁済を確約させた書面を差し入れさせてください。従業員の犯罪行為によって第三者に損害が

生じた場合についてはQ18を参照してください。

(3) 懲戒処分

職務に関連する犯罪行為は懲戒処分の対象になります（就業規則に懲戒処分の根拠規定があることが前提です）。

2 犯罪行為に対する懲戒処分の相場感

犯罪行為が、職務に関連する行為であり、かつ、刑法犯に該当する場合は、企業秩序違反の程度は非常に大きいと評価できますので、重い懲戒処分が妥当します。たとえば、職務に関連して、横領罪や背任罪に該当する行為を行った場合は、金額が僅少でも懲戒解雇が有効になる可能性が高いと思われます。

もっとも、従業員が犯罪をしたからといって、常に懲戒解雇が有効になるわけではありません。行為態様等に応じて適切な懲戒処分を選択する必要があります。

なお、懲戒処分と人事処分等の関係についてはQ5を参照してください。

犯罪行為に対する懲戒処分等の相場感

行為態様	懲戒処分	人事処分
横領、窃盗、詐欺、背任	懲戒解雇	
強姦・強制わいせつ	懲戒解雇	
暴行・傷害	戒告、減給、出勤停止、懲戒解雇	降格、普通解雇
器物損壊	戒告、減給	降格
名誉毀損	戒告、減給	降格

3 参考になる判例

(1) 横領・背任

① バス運転手が運賃を乗客から直接手で受け取って不正に領得したことを理由とする懲戒免職処分は有効（東京地判平成23年5月25日労経速2114号13頁）。

② タクシー乗務員が、メーター不倒による営業行為を行ったことを理由とする懲戒解雇は有効（東京高判平成15年4月24日労判853号31頁）。

③ 金融機関従業員の顧客からの集金の着服（1万円）を理由とする懲戒解雇は有効（東京高判平成元年3月16日労判538号58頁）。

④ 領収書の改ざんによる経費10万円の水増し請求を理由とする懲戒解雇は有効（大阪地判平成10年1月28日労判733号72頁）。

(2) 器物損壊

酔っ払って会社のパソコンにかかと落としをして液晶画面を破損し、当該行為を隠蔽するため、同僚と相通じて虚偽の説明を行っていたという事案について、戒告やけん責処分では軽きにすぎる点があるとしつつも、会社の経済的な損害は大きなものとまではいえず、金銭的な賠償によって償うことが可能なので、懲戒解雇は無効（東京高判平成29年9月13日公刊物未登載）。

(3) 名誉毀損

同僚に対して名誉毀損に該当する投稿を「2ちゃんねる」の電子

掲示板に行った事案について、減給や停職といったより軽い懲戒処分を選択することにより反省の機会を与えることなく行った懲戒解雇は無効（東京地判平成29年2月13日判タ1444号128頁）。

(4) 虚偽告訴

告訴が真実ではなく、これを容易に知りえたにもかかわらず、告訴をした事案について、懲戒解雇よりゆるやかな停職等の処分を選択しうえで、指導することも十分に可能であったので懲戒解雇は無効（東京高判平成29年7月13日労働法律旬報1894号59頁）。

(5) 傷害

職場構内で同僚運転手に暴行を加えて傷害を与え、罰金10万円の略式命令を受けた従業員に対する懲戒解雇は無効（名古屋地判平成15年5月30日裁判所ウェブサイト）。

Q15 業務と関係のない私生活上の犯罪行為について懲戒処分をすることができますか。また、懲戒処分の相場感と参考になる判例を教えてください。

解説

1 私生活上の犯罪行為と懲戒処分

業務と関係のない私生活上の犯罪行為については、職務に関連する犯罪行為と異なり、ただちに懲戒処分の対象になるわけではありませんが、企業秩序に直接の関連を有する行為や会社の社会的評価の低下、毀損によって会社の円滑な運営に支障を来すおそれがある行為については、懲戒処分の対象になります（最判昭和49年2月28日民集28巻1号66頁、最判昭和49年3月15日民集28巻2号265頁。ただし、就業規則に根拠規定があることが前提です）。

ただし、懲戒処分の対象となる場合は限定的で、判例（上記の最判昭和49年3月15日）は、従業員の行為によって、会社の社会的評価が低下、毀損したというためには、必ずしも具体的な業務阻害の結果や取引上の不利益の発生が必要なわけではないが、「当該行為の性質、情状のほか、会社の事業の種類、態様・規模、会社の経済界に占める地位、経営方針及びその従業員の会社における地位・職種等諸般の事情から総合的に判断して、行為により会社の社会的評価に及ぼす悪影響が相当重大であると客観的に評価される場合でなければならない」としています。

2 私生活上の犯罪行為に対する懲戒処分等の相場感

私生活上の犯罪行為の場合であっても、重い刑事犯の場合や会社の社会的評価の低下に直結する場合は、企業秩序違反の程度は大き

いと評価できますので、重い懲戒処分が妥当します。なお、懲戒処分と人事処分等の関係についてはQ5を参照してください。

私生活上の犯罪行為に対する懲戒処分等の相場感

行為態様	懲戒処分	その他
実刑相当の刑事犯罪（殺人、放火、強盗、詐欺）	懲戒解雇	
会社の社会的評価を著しく低下させる刑事犯罪（強姦、覚醒罪取締法違反）	懲戒解雇	
会社の社会的評価を相当低下させる刑事犯罪（痴漢、盗撮、窃盗）	出勤停止、懲戒解雇	降格、普通解雇
飲酒運転（業務として運転を行う職種、人身事故）	懲戒解雇	降格
飲酒運転（上記以外）	減給、出勤停止	降格

3 参考になる判例

(1) 飲酒運転

① 非番の日に酒気帯び運転で自損事故を起こしたことを理由とする懲戒免職は無効（神戸地判平成25年1月29日労判1070号58頁）。

② 年休中に酒気帯び運転で略式裁判を受けた職員に対する懲戒免職、退職金の不支給は有効（名古屋高判平成25年9月5日労判1082号15頁）。

③ 業務外の酒気帯び運転で罰金刑を科された上、物損事故を起

こした職員に対する懲戒解雇は有効だが、退職金の全額不支給は無効である（約3割の支給）（東京高判平成25年7月18日判時2196号129頁）。
④ 運送会社において業務外の酒気帯び運転で物損事故を起こした社員に対する懲戒解雇は有効だが、退職金の全額不支給は無効である（25％の支給）（東京高判平成30年3月26日公刊物未登載）。

(2) 痴漢

① 痴漢で有罪判決（罰金略式命令）を受けたが報道されていない場合、諭旨解雇は無効（東京地判平成27年12月25日労判1133号5頁）。
② 痴漢で複数回有罪判決を受けた従業員に対する懲戒解雇は有効、退職金の全部の不支給は無効（東京高判平成15年12月11日労判867号5頁）。

(3) 窃盗・傷害

窃盗および傷害によって懲役2年の執行猶予付判決を受けた公務員（当該事実が報道された）に対する懲戒免職および退職金の全部不支給は有効（大阪地判平成29年2月1日公刊物未登載）。

(4) 違法薬物の所持・使用

飲食店の経営を目的とする会社のキッチン責任者が大麻所持を行った従業員に対する懲戒解雇は有効（東京高判令和元年7月24日公刊物未登載）。

Q16

以下の事案に関する懲戒処分の相場感と参考になる判例を教えてください。
① 通勤手当の不正取得
② 兼職の禁止
③ 職務中のインターネットやメール
④ 情報漏えい
⑤ セクハラ
⑥ パワハラ

解説

　懲戒処分の対象となる行為ごとに懲戒処分等の相場感と判例を紹介します。なお、懲戒処分と人事処分等の関係についてはQ5を参照してください。

1　通勤手当等の不正取得

(1)　相場感

行為態様	懲戒処分	その他
通勤手当の不正取得（多額の場合）	懲戒解雇	普通解雇
通勤手当の不正取得（少額の場合）	減給、出勤停止	降格

(2)　参考になる判例

① 約4年半にわたって虚偽の住所を届け出て実費を約231万円上回る通勤手当を受け取っていた場合、懲戒解雇は有効（東京地判平成11年11月30日労判777号36頁）。

② 通勤手当15万1980円を不正受給した場合、諭旨解雇は無効（東京地判平成25年1月25日労判1070号72頁）。

③ 交通費35万円を不正受給した場合、懲戒解雇は無効（東京

地判平成 18 年 2 月 7 日労経速 1929 号 35 頁)。

2 兼職禁止

(1) 相場感

就業規則において兼職禁止規定を定める会社は少なくありませんが、兼職は、本来は私生活上の行為であり、自由なはずですので（京都地判平成 24 年 7 月 13 日労判 1058 号 21 頁）、原則として重い懲戒処分を選択することはできません。

行為態様	懲戒処分	その他
兼職の時間が長く、会社の職務に重大な支障が生じている場合、あるいは、企業秩序を著しく侵害する場合	減給、出勤停止、懲戒解雇	降格、普通解雇
それ以外	戒告	

(2) 参考になる判例

① 兼業時間が長時間勤務に及びかつ実際に業務に支障が生じている場合、普通解雇は有効（東京地決昭和 57 年 11 月 19 日労判 397 号 30 頁)。

② 競業会社の取締役に就任し、会社の営業秘密が漏えいする可能性がある場合、懲戒解雇は有効、退職金不支給処分は無効（名古屋地判昭和 47 年 4 月 28 日判時 680 号 88 頁)。

③ 兼職禁止違反が職場秩序や労務提供に重大な支障等を与えた事実はなく、また、休講等が多いことを把握しながら注意を与えないままに行った大学教授に対する懲戒解雇は無効（東京地判平成 20 年 12 月 5 日判タ 1303 号 158 頁)。

④ 兼職禁止に違反して別会社の代表者を務め 1920 万円の給与の支払いを受けている場合であっても、勤務時間中に、具体的にどのような業務をどの程度行っていたのかについて、これを裏付ける的確な証拠はなく、解雇や減給を前提とした具体的な注意や改善指導等を受けていない場合、普通解雇および懲戒解雇は無効（東京高判平成 31 年 3 月 28 日公刊物未登載）。

3 勤務時間中のインターネット・メール

(1) 相場感

勤務時間中のインターネット・メールは、企業秩序違反の程度はそれほど大きいとはいえませんので、原則として重い懲戒処分を選択することはできません。

行為態様	懲戒処分	その他
きわめて悪質かつ繰り返した	懲戒解雇	普通解雇
それ以外	戒告、減給、出勤停止	降格

(2) 参考になる判例

① 勤務中に頻繁に証券会社のホームページにアクセスし 3 か月に 27 回の発注を行った場合、懲戒解雇は無効（東京地八王子支判平成 15 年 9 月 19 日労判 859 号 87 頁）。
② 専門学校の教諭が 7 つの出会い系サイトに登録し、その掲示板に SM の相手を募集する書き込み等を行い、出会い系サイトを通じて知り合った者らとのメールを 5 年間で 810 件の送信と 800 件の受信を行い、その半数が勤務時間内であった場合、懲

戒解雇は有効（福岡高判平成17年9月14日労判903号68頁）。原審（福岡地久留米支判平成16年12月17日労判888号57頁）は懲戒解雇は無効。

③　業務時間中に、他の従業員に対して、投資用の不動産の購入を勧める等の内容のメールを相当数送信していたほか、業務に関係のない電話を相当回数にわたってかけていた場合であっても、直属の上司から業務上の指導、注意を受けたことはないこと、業務遂行について解雇を考慮するような低い評価をしていたとは認められないこと、他の従業員の業務遂行が阻害されたといった業務に対する具体的な支障が生じたことを認めるに足りる証拠はないことなどを総合すると、これらの行為を解雇事由として重視することが相当であるとはいえないから普通解雇・懲戒解雇は無効（東京高判平成31年3月28日公刊物未登載）。

4　秘密情報の漏えい

(1)　相場感

行為態様	懲戒処分	その他
機密情報や個人情報が漏えいし実害が生じた場合	出勤停止、懲戒解雇	普通解雇
それ以外	戒告、減給、出勤停止	降格

(2)　参考になる判例

①　4257名分の顧客リストを漏えいしたものの実害が生じていない場合、懲戒解雇は無効（東京地判平成24年8月28日労判1060号63頁）。

②　ハードディスクを持ち帰っただけで情報漏えいが認められな

い場合、懲戒解雇は無効（大阪地判平成25年6月21日労判1081号19頁）。

③　銀行の職員が対外秘である行内通達を出版社等に漏えいした場合、懲戒解雇は有効・退職金の全部不支給は無効（3割支給）（東京地判令和2年1月29日公刊物未登載）。

④　金融機関の従業員が、権限なく顧客情報へアクセスしこれを社内の者に漏えいしたものの、情報が外部に漏えいしておらず、会社の重大な信用棄損や具体的・現実的な損害につながったとまでは認めることができない場合、懲戒解雇は無効（東京地判平成30年11月29日労経速2838号41頁）。

5　セクハラ

(1)　相場感

行為態様	懲戒処分	その他
暴行もしくは脅迫を用いてわいせつな行為をし、または職場における上司・部下等の関係に基づく影響力を用いることにより強いて性的関係を結びもしくはわいせつな行為をした場合	懲戒解雇	普通解雇
相手の意に反することを認識のうえで、わいせつな言辞、性的な内容の電話、性的な内容の手紙・電子メールの送付、身体的接触、つきまとい等の性的な言動（以下「わいせつな言辞等の性的な言動」といいます）を繰り返した場合	減給、出勤停止	降格

| 相手の意に反することを認識のうえで、わいせつな言辞等の性的な言動を行った場合 | 戒告、減給 | 降格 |

(2) 参考になる判例

① セクハラ研修等が行われていた会社において、従業員複数名に対して約1年間にわたって著しく侮蔑的ないし卑猥な話をした管理職に対する30日間の出勤停止処分と降格処分（管理職手当と減給を伴う）は有効（最判平成27年2月26日労判1109号5頁）。

② 複数の女性社員に対してセクハラ行為（宴会の席で手や肩に触り、膝の上に座らせて酒をつがせる行為、「誰がタイプか答えなければ犯すぞ」などの性的発言）を繰り返した取締役支店長に対して、懲戒解雇は無効（東京地判平成21年4月24日労判987号48頁）。

③ 強制わいせつに該当する行為を繰り返した場合、懲戒解雇は有効（大津地判平成26年11月25日公刊物未登載）。

④ 学生と相当親密な関係（交際を強要されたわけではない）にあり性交渉を行ったことを疑わせる状況があった教授に対する停職6か月の処分は重きに失する（せいぜい3か月程度にとどめるべきである）（大阪地判平成23年9月15日労判1039号73頁）。

⑤ 性的な嫌がらせをする意図を有しない発言（過去の恋愛歴を繰り返し質問する。身体的特徴を述べる）をした行為はセクハラに該当し、けん責または訓告（公務員）処分は有効（東京地判平成23年1月18日労判1023号91頁、東京地判平成26年3月11日労経速2210号11頁）。

⑥ 勤務時間中にコンビニエンスストアの女性従業員に対して身体的接触を伴う不適切な言動をした職員（公務員）に対する6か月の停職処分は有効（最判平成30年11月6日判時1459号25頁）。

6 パワハラ

(1) 相場感

行為態様	懲戒処分	その他
他の職員に対する暴行により職場の秩序を乱した	減給、出勤停止、懲戒解雇	降格
他の職員に対する暴言により職場の秩序を乱した	戒告、減給、出勤停止	降格

(2) 参考になる判例

　派遣社員に対して、「謝れ」、「辞めてしまえ」などといいながら、椅子を蹴るなどした場合、けん責処分（賃金の減額を伴う）は有効（大阪地判平成24年5月25日労判1057号78頁）。

Ⅳ 従業員が不法行為をした場合の対応

Q17 従業員が逮捕・勾留されました。どのように対応すればよいですか。

解説

1 情報収集

(1) 従業員の親族等からの情報収集

　従業員が逮捕・勾留された場合、①従業員本人の処遇（懲戒処分等）、②被害者への対応、③マスコミその他への対応を検討する必要があります。

　そのためには、まず、従業員の親族等から、以下の事項について情報収集してください。

親族等から情報収集する事項

① 逮捕された日時
② 勾留の有無。勾留されている警察署の場所。接見禁止決定の有無
③ 刑事弁護人の有無と弁護人の連絡先
④ 親族等の接見の予定
⑤ 被疑事実

(2) 勾留中の従業員に接見する

たとえば、被害者が取引先の場合等には、従業員本人から詳細な事情を聴いたうえで早急に対応を検討しなければなりません。

そのような場合には、人事・法務担当者等が勾留場所（通常は警察署）で従業員本人に接見（勾留されている従業員に面会すること）してください。接見禁止決定がされていなければ、接見することが可能です。勾留場所である警察に電話をして「接見したいので留置係をお願いします」といい、「勾留されている○○について接見したい」などと質問すれば、接見可能な日時、手続等を教えてくれますので、まずは、警察署に連絡してください。

従業員本人に接見する際、以下の事項について情報収集してください。

従業員本人から情報収集する事項
| ① 被疑事実の内容と罪状認否、刑事手続の予定（保釈の見込み） |
| ② 余罪の有無 |
| ③ 刑事弁護人の有無と弁護人の連絡先 |
| ④ 弁明、懲戒処分についての意見（必要に応じて） |
| ⑤ 自主退職の意向の有無（必要に応じて） |

2 勾留中の従業員に対する給与

勾留中の従業員に対しては、就業規則等で特別の定めをしていない限り、給与を支払う必要はありません（ノーワークノーペイの原則）。

3 懲戒処分、普通解雇の検討

　被疑事実が明らかになった場合には、従業員に対する懲戒処分を検討する必要があります。

　懲戒処分の相場感や手続については、Q14、Q15を参照してください。懲戒処分をする場合、接見等を行い本人に弁明の機会を与えるようにしてください。懲戒処分を急ぐ必要はありません。事実関係をしっかりと把握してから懲戒処分をしてください。とくに、本人が否認しているような場合には、裁判の結果をふまえて懲戒処分の可否を決定してください。

　懲戒処分ではありませんが、欠勤が長期間に及んだことを理由に、普通解雇を行うことも考えられます（最判昭和53年2月14日労経速973号12頁、東京高判昭和51年9月13日労判265号70頁）。もっとも、将来無罪判決が下された場合等には普通解雇の効力が否定される可能性がありますので、やはり、普通解雇の場合も、懲戒解雇の場合と同様に、裁判の結果をふまえて解雇の可否を判断した方がよいと思います。なお、就業規則に起訴休職の規定がある場合には、休職期間満了後でなければ、普通解雇をすることはできないと解されます。

　従業員から退職願が提出された場合、これに応ずるか否かは会社の自由です。退職に同意せずに、懲戒解雇を行うことも可能です。これに対して、従業員から辞職届が提出された場合には、2週間の経過とともに自動的に退職の効果が発生します。退職の効果の発生後に懲戒処分を行うことはできませんので、懲戒処分をするのであれば、その前に行ってください。退職願と辞職届の違いについては、第10章Q1を参照してください。

4　被害弁償

　従業員の犯罪行為によって第三者に損害を与えてしまった場合、その犯罪行為が職務に関連する行為である場合には、会社は被害者である第三者に対して使用者責任（民法715条）を負います。使用者責任の内容等については、Q18を参照してください。

　従業員の犯罪行為によって会社に損害が生じた場合には、会社は従業員に対して損害賠償請求をすることができます。この場合、犯罪行為ですから、通常は損害全額を請求することができます。

Ⅳ 従業員が不法行為をした場合の対応

Q18 従業員が業務に関連して不法行為を行い、取引先に損害を与えてしまいました。どのように対応すればよいですか。

解説

1 取引先に対する損害賠償

(1) 従業員が第三者に損害を与えた場合の会社の責任

　不法行為によって取引先等の第三者に損害を与えた従業員は、第三者に対して損害賠償責任を負います（民法709条）。

　問題は、会社が第三者に何らかの責任を負うか否かです。

　この点、従業員が不法行為によって第三者に損害を与えた場合、それが業務と無関係なものであれば、会社が第三者に対して損害賠償責任を負うことはありません。

　これに対して、従業員がその職務行為に関連した不法行為によって第三者に損害を与えてしまった場合、会社は第三者に対して使用者責任（民法715条1項本文）を負います。

　職務行為に関連するかどうかは、比較的広く解されています。判例では、銀行の支店長が不良貸付金の回収のために、支店名義で物品を購入処分した事案（最判昭和32年3月5日民集11巻3号395頁）、退社後会社の自動車を私用運転した際に事故を起こした事案（最判昭和39年2月4日民集18巻2号252頁）等において、職務行為との関連性が肯定されています。

　会社の使用者責任は、従業員の選任・監督について相当の注意をした場合には免責されますが（民法715条1項ただし書）、実務上この免責が認められることはほとんどありません。

(2) 取引先に損害を与えた場合の会社の責任

設問のように、従業員が不法行為によって取引先に損害を与えた場合、通常は会社の職務行為に関連したものであると認められますので、会社は使用者責任を負います。

会社の使用者責任は、従業員の損害賠償責任と連帯債務ですので、取引先（被害者）は、損害全額の満足を受けるまで、会社または従業員に対して損害賠償請求が可能ですが、どちらかが被害者に賠償すれば、賠償された分については他方の責任も消滅します。

したがって、会社は、従業員に取引先への損害賠償を行わせるか、自ら損害賠償を行わなければなりません。

2 従業員に対する求償請求

(1) 求償できる金額の目安

会社が取引先に損害賠償した場合、会社は従業員に対して求償請求をすることが可能です（民法715条3項）。

しかし、取引先に損害賠償を行った全額の求償が認められるとは限らず、「信義則上相当な範囲」に制限されます（最判昭和51年7月8日民集30巻7号689頁）。

この「信義則上相当な範囲」については、明確な基準があるわけではありませんが、従業員に故意・重過失が認められるような場合は全額の求償が可能であると考えてかまいません（大阪地判平成24年9月27日労判1069号90頁）。他方で、従業員に過失しか認められないような場合には、1つの目安として、損害額の4分の1程度が求償可能であると理解しておくとよいでしょう。

また、従業員に対する求償請求については、身元保証人に対して請

求することも可能ですが、身元保証契約は更新をしなければ3年（特約がある場合は5年）で失効してしまいますし（身元保証ニ関スル法律1条）、従業員本人に対する請求に比べて制限があります（同法5条、民法465条の2第2項）。

　会社が取引先に損害賠償をする場合は、従業員との間で、合意書（書式：求償債務の弁済に関する合意書を参照してください）を取り交わすことをおすすめします。

(2) 賃金との相殺の可否

　従業員に対する求償債権と賃金との相殺は、会社の一方的な意思表示によって行うことはできませんが（最判昭和31年11月2日民集10巻11号1413頁、最判昭和36年5月31日民集15巻5号1482頁）、従業員との合意によって行うことは可能です（最判平成2年11月26日民集44巻8号1085頁）。ただし、この相殺合意については、従業員の自由な意思に基づくものであることが必要です（自由な意思に関しては第5章Q2、Q3を参照してください）。

3　従業員に対する人事処分・懲戒処分

　従業員が業務に関連して取引先に損害を与えてしまった場合、人事処分や懲戒処分を検討してください。

書式：求償債務の弁済に関する合意書

合　意　書

　○○（以下「甲」）と○○株式会社（以下「乙」）は、以下のとおり合意した。
1　甲は、乙に対し、下記の求償債務として、○○万円の支払義務が

あることを認める。

記

甲がその不法行為によって丙株式会社に対して与えた損害を乙が賠償したことによって生じた甲の乙に対する求償債務

2 甲は、乙に対し、前項の金員を、次のとおり分割して下記の銀行口座に振り込んで支払う。払込手数料は甲の負担とする。
 (1) 令和○年○月から○年○月まで、毎月○日限り金○円
 (2) 銀行口座
     ○○銀行　　○○支店　普通［当座］
     口座番号　　○○
     口座名義　　○○株式会社

3 甲において、前項の支払いを怠り、その額が○○円に達したときには、当然に期限の利益を失い、甲は乙に対して、第1項の残額全額及びこれに対する期限の利益を失った日の翌日から支払済みまで年10％の割合による遅延損害金を直ちに支払う。

前各号の合意を証明するため、本合意書を2通作成し、各自署名押印のうえ、各1通を保管する

令和○○年○月○日

　　　　甲　（住所）

　　　　　　（氏名）　　　　　　　　　　㊞

　　　　乙　（住所）

　　　　　　○○株式会社
　　　　　　代表取締役　　○○　○○　　㊞

第8章

ハラスメント対応

I ハラスメントとは？

Q1 パワハラとはどのような行為を指すのですか。また、違法なパワハラに該当するかどうかをどのように判断すればよいですか。参考になる判例を教えてください。

解説

1 パワーハラスメント（パワハラ）

　パワーハラスメント（パワハラ）とは、①職場において行われる優越的な関係を背景とした言動であって、②業務上必要かつ相当な範囲を超えたものにより、③その雇用する労働者の就業環境が害されることです（労働施策総合推進法30条の2第1項）。

　上記①ないし③の要件の意味する具体的な内容について以下のとおり行政指針によって例示されています（「事業主が職場における優越的な関係を背景とした言動に起因する問題に関して雇用管理上講ずべき措置等についての指針」〔令和2年1月15日厚生労働省告示第5号〕以下本章において「パワハラ指針」といいます）。

　① 優越的な関係を背景とした言動
　　・職務上の地位が上位の者による言動
　　・同僚または部下による言動で、当該言動を行う者が業務上必要な知識や豊富な経験を有しており、当該者の協力を得なければ業務の円滑な遂行を行うことが困難であるもの
　　・同僚または部下からの集団による行為で、これに抵抗または

拒絶することが困難であるもの
② 業務上必要かつ相当な範囲を超えたもの
・業務上明らかに必要性のない言動
・業務の目的を大きく逸脱した言動
・業務を遂行するための手段として不適当な言動
・当該行為の回数、行為者の数等、その態度や手段が社会通念に照らして許容される範囲を超える言動

　この判断に当たっては、さまざまな要素（当該言動の目的、当該言動を受けた労働者の問題行動の有無や内容・程度を含む当該言動が行われた経緯や状況、業種・業態、業務の内容・性質、当該言動の態様・頻度・継続性、労働者の属性や心身の状況、行為者との関係性等）を総合的に考慮することが適当である。また、その際には、個別の事案における労働者の行動が問題となる場合は、その内容・程度とそれに対する指導の態様等の相対的な関係性が重要な要素となることについても留意が必要である。
③ 労働者の就業環境が害されるもの
・当該言動により労働者が身体的または精神的に苦痛を与えられ、労働者の就業環境が不快なものとなったため、能力の発揮に重大な悪影響が生じる等労働者が就業する上で看過できない程度の支障が生じるもの

パワハラに該当しうる行為類型

暴行・傷害（身体的な攻撃）
脅迫・名誉毀損・侮辱・ひどい暴言（精神的な攻撃）
隔離・仲間はずし・無視（人間関係からの切り離し）

業務上明らかに不要なことや遂行不可能なことの強制、仕事の妨害（過大な要求）
業務上の合理性なく、能力や経験とかけ離れた程度の低い仕事を命ずることや仕事を与えないこと（過小な要求）
私的なことに過度に立ち入ること（個の侵害）

「職場のいじめ・嫌がらせ問題に関する円卓会議ワーキング・グループ報告」（平成24年1月30日）参照

2 パワハラに該当するかどうかの判断基準

　業務上の指示や指導は会社にとって必要なものです。指示や指導がある程度厳しいものになったとしても、違法なパワハラということはできません。

　暴力行為や、脅迫・名誉毀損等の行為が認められる事案においては、違法なパワハラであるとの認定は容易ですが、そのような顕著な行為が認められない場合には、業務上の適正な指導の範囲内のものであるのか、その範囲を超えて違法なものであるのか、その判断は非常に困難です。

　パワハラに該当するかどうかの判断基準として、参考になる判例を2つ紹介します。1つ目は、他人に心理的負荷を過度に蓄積させるような行為は原則として違法であり、例外的に、その行為が合理的理由に基づいて、一般的に妥当な方法と程度で行われた場合には、正当な職務行為として、違法性が阻却される（福岡高判平成20年8月25日判時2032号52頁）とする判例です。

　この判例の基準からすると、暴行・脅迫・人格非難・名誉毀損・侮辱等の行為は、「一般的に妥当な方法」でないことは明らかですから、業務上の必要性の有無にかかわらず、パワハラに該当することになります。他方で、上記行為を伴わない叱責については、業務

上の必要性に基づくもので、かつ、一般的に妥当な方法で行われている限り、パワハラには該当しません。

　2つ目の判例は、「パワーハラスメントは極めて抽象的な概念で、内包外延とも明確ではない。そうだとするとパワーハラスメントといわれるものが不法行為を構成するためには、質的にも量的にも一定の違法性を具備していることが必要である。したがって、パワーハラスメントを行った者とされた者の人間関係、当該行為の動機・目的、時間・場所、態様等を総合考慮の上、『企業組織もしくは職務上の指揮命令関係にある上司等が、職務を遂行する過程において、部下に対して、職務上の地位・権限を逸脱・濫用し、社会通念に照らし客観的な見地からみて、通常人が許容し得る範囲を著しく超えるような有形・無形の圧力を加える行為』をしたと評価される場合に限り、被害者の人格権を侵害するものとして民法709条所定の不法行為を構成するものと解する」（東京地判平成24年3月9日労判1050号68頁）とする判例です。

　この判例によりますと、パワハラに該当するためには、一定の違法性を具備していることが要件となります。

　もっとも、実際にはパワハラに該当するかどうか微妙な事案が多いため、判例の傾向を分析する必要があります。判例の傾向についてはQ2を参照してください。

> **Q2** パワハラに該当するかどうかを判断する際に参考になる判例を教えてください。また、判例の傾向と判例から学ぶ実務上のポイントを教えてください。

解説

1 参考になる判例

(1) 違法なパワハラであると判断した判例

① 「お前は三曹だろ。三曹らしい仕事をしろよ」、「お前は覚えが悪いな」、「バカかお前は。三曹失格だ」などの発言は、人格自体を非難、否定する意味内容の言動であり違法である（福岡高判平成20年8月25日判時2032号52頁）。

② 部下の非常識な態度に激高して「ばばあ。やめろ」などと発言した行為は違法である（東京地判平成24年11月30日労判1064号86頁）。

③ 酒が弱い部下に無理矢理酒をすすめる行為は違法である（東京高判平成25年2月27日労判1072号5頁）。

④ 「新入社員以下だ。もう任せられない」、「何で分からない。お前は馬鹿」という発言は違法である（東京地判平成26年7月31日労判1107号55頁）。

⑤ 他の社員のいる前でマネージャーを叱責した言動および「マネージャーが務まると思っているのか」、「マネージャーをいつ降りてもらっても構わない」との発言は違法である（鳥取地米子支判平成21年10月21日労判996号28頁）。

⑥ 「やる気がないなら、会社を辞めるべきだと思います。会社にとっても損失そのものです」というメールを本人だけではな

く、同じ職場の従業員にも送付した行為は違法である（東京高判平成17年4月20日労判914号82頁）。

⑦　監督者が監督を受ける者を叱責し、あるいは指示等を行う際には、労務遂行の適切さを期する目的において適切な言辞を選んでいなければならず、「殺すぞ。あほ」という発言は違法である（大阪高判25年10月9日労判1083号24頁）。

⑧　派遣労働者については直接的な雇用関係がなく、派遣先の上司からの発言に対して容易に反論することが困難であり、弱い立場にあるから、その立場、関係から生じかねない誤解を受けないよう、安易でうかつな言動はつつしむべきであり、ゴミ捨て等の雑用を命じたり、「殺すぞ。あほ」と述べるのは違法である（大津地判平成24年10月30日労判1073号82頁）。

⑨　同じミスを犯す従業員に対してそのつど強い叱責を行った行為およびその過程で平手打ちを数回した行為は違法である（福岡高判平成29年1月18日労判1156号71頁）。

⑩　「○○さんのやっていることは仕事ではなく、考えなくてもできる作業だ」、「Aさんは男だから、○○さんより先に仕事を教える」、「多くの人がお前をばかにしている」などの発言は全体として不法行為に該当する（東京高判平成29年4月26日労判1170号53頁）。

⑪　一方的に非があると決めつけ、性格や感覚等を批判し、「非常識」「信頼関係ゼロ」「ここの職員としてふさわしくない」などと非難して職場から排除しようとするものであって、社会的相当性を逸脱する（名古屋高判平成30年9月13日労判1202号138頁）。

(2) 違法ではないと判断された判例

① 「いい歳なんだから、若いメールを書いてちゃ駄目だよ」、「私には全く相談がありませんが、どうなったのでしょうか。……待っていましたが、回答できたと考えて午後半休のため失礼します」というメールは人格非難や名誉を毀損する内容とはいえず、業務上の必要性に基づいてなされた以上違法ではない（東京高判平成25年11月27日労判1091号42頁）。

② 仕事上のミス等に不満を持ち、たびたび注意や叱責を繰り返しており、そのなかには、大声になることや指導や叱責としても穏当を欠く発言がされることもあり、やや強い口調になることもあった事案について、具体的なミスに対してなされたものであり、注意や叱責が長時間にわたったわけではなく、口調も常に強いものであったとはいえないから違法ではない（広島高岡山支判平成24年11月1日公刊物未登載）。

③ 不正経理の是正を命じたが、1年経過してもやっていなかった事例について、「会社を辞めれば済むと思っているかもしれないが、やめても楽にはならないぞ」との発言は違法ではない（高松高判平成21年4月23労判990号134頁）。

2　判例の傾向と判例から学ぶ実務上のポイント

判例の傾向と判例から学ぶ業務上の注意指導に関する実務上のポイントは以下のとおりです。

判例の傾向

暴行・脅迫・人格非難・名誉毀損・侮辱 ⇒	業務上の必要性の有無にかかわらず違法
上記行為を伴わない叱責 ⇒	業務上の必要性があれば、多少厳しくも合法

判例から学ぶ業務上の注意指導に関する実務上のポイント

① 人格を非難するような表現を用いない。
② 具体的にミスがあった際に、そのつど行う。
③ 他の従業員の面前で行わない。
④ 長時間にわたらないようにする。
⑤ 大声を出さない（冷静に！）。

Q3 セクハラに該当するのはどのような行為ですか。セクハラに該当するか否かはどのように判断すればよいですか。参考になる判例を紹介してください。

解説

1 セクシャルハラスメント（セクハラ）

セクシャルハラスメント（セクハラ）とは、相手方の意に反する性的な言動を意味します。強制わいせつや性的行為の強要はもちろん、卑猥な言葉をかける行為や性的な風評を流す行為もセクハラに該当します。女性だけでなく男性も対象となり、同性に対するものも含まれます。

セクハラについては業務上の必要性が問題となることはありません。業務上必要な性的な言動など存在しないからです。そのため、職場において、何らかの性的な言動がなされ、事後的であれ、相手方から「不快に感じた」という主訴があった場合には、違法性が肯定されると考えた方がよいでしょう。

2 参考になる判例

東京高判平成20年9月10日（労判969号5頁）は、上司の行為の違法性を否定した原審判決を変更し、以下のとおり認定して上司に対し慰謝料の支払いを命じました。

① 「頭がおかしいんじゃないの」、「昨夜あそびすぎたんじゃないの」、「秋葉原で働いた方がいい」という発言は全体として、強圧的あるいは性的な行動をやゆしもしくは非難するものであり、許容限度を超える違法な発言である。

② 「処女にみえるけど処女じゃないでしょう」、「何人とやった

んだ」などの発言は明らかに違法である。

Ⅱ ハラスメントの防止と対応

Q4 会社はハラスメント対策を講ずる義務を負いますか。また、ハラスメント対策を講ずる場合のポイントを教えてください。

解説

1 ハラスメント対策を講ずべき義務

ハラスメントを原因とするメンタル被害が急増しています。ハラスメント対策は会社の重要な課題の1つです。

会社は、業務の遂行に伴う疲労や心理的負荷等が過度に蓄積して従業員の心身の健康を損なうことがないように注意する義務（安全配慮義務といいます）を負っており（最判平成12年3月24日民集54巻3号1155頁参照）、その義務の1つとして、ハラスメント対策を講ずる義務（職場環境配慮義務）があります。また、セクシャルハラスメント、マタニティハラスメントに関しては、雇用機会均等法11条、11条の2、育児・介護休業法25条において、パワーハラスメントに関しては労働施策総合推進法30条の2、30条の3において、会社がその発生を防止するための対策を講ずべき義務等が定められています。なお、これらの義務違反について罰則は設けられていませんが、企業に対して助言や指導、勧告が行われることがあると思われます。

ハラスメント対策を講ずる場合には、厚生労働省が策定した「事業主が職場における性的な言動に起因する問題に関して雇用管理上

講ずべき措置についての指針」（平成18年10月11日厚生労働省告示第615号〔最終改正：平成28年8月2日厚生労働省告示第314号〕。いわゆるセクハラ指針）やパワハラ指針が参考になります。

　ハラスメントによりメンタル被害が生じた従業員が職場復帰することは容易なことではありません。メンタル被害は会社にとっても大きな痛手となります。ハラスメント対策で最も重要なことは、ハラスメントを発生させないこと、万全の予防策を講ずることです。

2　ハラスメント対策のポイント

(1)　経営陣の決意とメッセージ

　ハラスメント対策が奏効した会社で共通しているのは、経営陣がハラスメント対策の重要性を認識し、「職場からハラスメントを撲滅する」という決意を従業員に伝えていることです。

　経営陣が、ハラスメントに対して甘い考えを持ったままですと、ハラスメントは絶対になくなりません。

(2)　ルールの策定

　ハラスメントを撲滅するためには、ルールを明確化することが重要です。ルールは、従業員にとってわかりやすく、かつ、具体的な内容としてください。

　就業規則にセクシャルハラスメント禁止規定を設けることは大半の会社がすでに実践していますが、さらに進んで、相談窓口や苦情処理手続を定めたセクシャルハラスメント防止のための内規（就業規則に委任の根拠規定を定め、これを根拠に内規を定めます）やマニュアルを策定している会社もあります。

(3) 実態調査

ハラスメント対策を効果的に進めるためには、アンケート等によって実態を把握することが有用です。調査手法としては、紙や電子ファイルでの実施に加え、インターネット上(無料のアプリケーションサービスプロバイダー)で実施する仕組みもあります。

(4) 研修

ハラスメントを防止するためには、ハラスメント防止のための研修を行うことが有用です。

研修では、①どのような行為がハラスメントに該当するのか、②ハラスメントは何が悪いのか(会社の方針の周知を含む)、③ハラスメントに関してどのような責任を負うのか(規則等の周知を含む)、④ハラスメント被害を受けた場合の対処方法(申告窓口等の周知を含む)を、明確かつ具体的に説明することが大切です。

また、全員の受講を義務づけること、定期的に実施すること、管理監督者と一般従業員に分けた階層別研修を実施すること等によって、より高い研修成果を上げることができます。

(5) 相談窓口の設置

会社が職場環境配慮義務を履行する手段として、相談窓口の設置は有効な手段です。従業員が相談しやすい相談窓口を設置し、できるだけ初期の段階で気軽に相談できる仕組みを作ってください。

Q5 ハラスメントの申告があった場合の、初動対応を教えてください。また、参考になる判例を教えてください。

解説

1 ハラスメント申告への迅速かつ適切な対応

会社は、雇用契約上の付随義務として、就業環境に関して労働者からの相談に応じて適切に対応すべき義務を負っており、事実確認や事後の措置を行うなど適切な対応をしなければなりません（最判平成30年2月15日裁時1694号1頁）。

2 初動対応の重要性

ハラスメントの申告があった場合には、初動対応が何より重要です。初動対応を誤ると、被害が急速に拡大するおそれがあります。

初動対応を適切に行うためには、内部通報規則等の社内規則に従った手順を踏む必要がありますので、あらかじめ社内規則を確認・理解しておいてください。

なお、ハラスメント対応全般について、厚生労働省が策定した「事業主が職場における性的な言動に起因する問題に関して雇用管理上講ずべき措置についての指針」（平成18年10月11日厚生労働省告示第615号〔最終改正：平成28年8月2日厚生労働省告示第314号〕。いわゆるセクハラ指針）や「明るい職場応援団」というウェブサイトが参考になります。

3 申告者からの事情聴取

まずは、申告者から話を聞くことになりますが、その際は、申告者の秘密を守り・プライバシーを尊重すること、ていねいに親身に

なって聞くことが重要です。

　この事情聴取は、公平中立の立場の者（相談窓口担当者、人事部門または外部弁護士等）が担当してください。申告者が女性社員であり、かつ、セクハラに関する相談の場合には、女性社員が対応した方がよい場合が多いと思われます。

　申告者の主張をすべて鵜呑みにすることはできませんが、疑ってかかったり、軽視したりしては絶対にいけません。

　申告者が希望しない場合には、原則として、行為者等への事実確認や処分は行わず、申告者の相談だけで終了します。

4　暫定的な対応の検討

　何らかの対応をしなければ被害が拡大してしまう可能性がある場合には、申告者の希望を聞いたうえでただちに対応を検討します。

　具体的な対応策としては、①申告者に対する自宅待機命令（安全確保のため）、②他の職員が身辺警護を行う、③申告者と被申告者を隔離する等が考えられます。

　もっとも、被申告者に事実確認をする前ですので、被申告者に対して何らかの業務命令（人事処分）をすることは難しい場合が多いと思われます。

5　ハラスメントの申告に対する会社の対応に関して参考になる判例

　ハラスメントの申告があった場合の会社の対応に関して、以下の判例が参考になります。

(1) 公平中立かつ慎重に対応すべき（東京地判平成22年10月29日労判1018号18頁）

　被害申告の対応として、加害社員から電話で聴取して説明を受けた段階で安易に加害社員の説明を真実であると信じ、被害申告事実

は誤解によるものと判断した従業員の対応について、「職責に照らして、判断に至る調査方法は不適切であるとともに、調査内容も不十分であり、その判断姿勢も、公平、中立さに欠けるとの評価を免れないものであった。また、被害申告に関する問題を被告が公平・中立な立場から解明する機会を遅らせ、被害申告に関する問題の解決を長期化させた」とし、その従業員に対してなされた降格処分を有効と判示しています。

(2) ハラスメントが確認されなかった場合でも申告者に対する安全配慮義務がある（さいたま地判平成27年11月18日労判1138号30頁）

「申告者が主張するパワハラが存在するか否か調査をし、その結果、パワハラの存在が認められる場合はもとより、仮にその存在が直ちには認められない場合であっても、本件既往症のある申告者が相談者に対して上記相談を持ち掛けたことを重視して、被申告者又は申告者を配置転換したり、被申告者を申告者の教育係から外すなどの措置を講じ、申告者が、被申告者の言動によって心理的負荷等を過度に蓄積させ、本件既往症であるうつ病を増悪させることがないよう配慮すべき義務があったものというべきである」とし、ハラスメントが確認されなかった場合でも申告者に対する安全配慮義務がある旨判示しています。

(3) 業務上のかかわりを減らすべき（東京地判平成27年3月27日労判1136号125頁）

「申告者又は被申告者を他部署へ配転して申告者と被申告者とを業務上完全に分離するか、又は少なくとも申告者と被申告者との業務上の関わりを極力少なくし、原告に業務の負担が偏ることのない体制をとる必要があったというべきである」とし、申告者と被申告者の業務上の隔離措置をとるべきと判示しています。

Q6 ハラスメント調査の際の事実認定の手法を教えてください。

解説

1 事実認定のポイント

ハラスメントの申告があった場合、申告された事実関係の有無を認定する必要があります。事実認定に誤りがあると、その後の対応も誤ったものになりますので、事実認定は慎重かつ適正に行う必要があります。

また、事実認定はできるだけ早急に行わなければなりません。時間の経過とともに申告者（被害者）の被害感情は強くなりますし、さらなる被害が発生する可能性もあるからです。

とはいっても、拙速に事実認定をしてはなりません。申告者および被申告者の言い分を十分に聴取し、主張に食い違いがある場合は、客観的証拠を探索したり、第三者から事情聴取をしたりして、事実の有無を慎重に認定してください。

2 事実関係の調査の手順

事実関係の調査は、申告者と被申告者の事情聴取から始めます。もっとも、申告者が被申告者からの事情聴取を希望しない場合には、被申告者に対する事情聴取を行うことはできません。その場合には、被申告者から事情聴取をしない限り、被申告者に懲戒処分や人事処分を行うことができないことを説明してください。

事実関係の調査の具体的な手順は以下のとおりです。

(1) 被害者自らの申告の場合

申告者→被申告者の順で事情を聴取します。

申告者の申告内容を被申告者が認めた場合には、申告内容どおりの事実を認定します。

被申告者が申告内容の全部または一部を否認した場合には、当該申告部分に関して客観的証拠の有無を探索したり、目撃者から事情聴取をしたりします。

もっとも、第三者から事情聴取をする場合には、「〇〇の申告部分については被申告者と認識が異なりますので、この事実の存否を確認するためには目撃者等から事情聴取をする必要があります」などと申告者に説明し、第三者から事情聴取をすることについて申告者から同意を得てください。

(2) 被害者ではない第三者からの申告の場合

第三者から、「Aさんが被害にあっている」との申告があった場合は、被害者として申告されたAから事情聴取をしてください。Aがそれ以上の調査を望まない場合には、通常はそれ以上調査を進めることはできません。

Aが調査を望む場合には上記(1)と同じ手順で事情聴取を行います。

3 事情聴取の内容

(1) 申告者に対する事情聴取

申告者に対する事情聴取では、以下のような事項を確認します。

申告者から確認すべき事項

| ① ハラスメント行為の特定
　日時、場所、行為主体、行為態様
② 証拠の有無
　目撃者、客観的証拠（メール、手紙、録音）等の有無
③ 被害感情、希望する対応（被申告者の処分を求めるか否かなど） |

　上記①のハラスメント行為の特定に関する事項は、できるだけ具体的に事情聴取してください。たとえば、セクハラの行為態様の場合、「Ａさんが私の右手の表面をＡさんの人差し指の腹の部分で触りました。触った回数は3、4回です。指はゆっくりと上下に動かしていました。Ａさんは無言でしたが、にやにやと笑っていました」、パワハラの行為態様の場合は「Ａさんから『○○くんの仕事はできが悪い。小学生でももっとましな文章を書くよ』と大きな声で告げられました。その時、周りにはＢさんとＣさんも同席していました」など具体的な事実を聴取してください。「セクハラを受けた」、「暴言を吐かれた」などというのは、具体的な事実ではなく、申告者の評価（意見）であり、それを聴取しても事実を確認したことにはなりません。

　上記②の証拠は、被申告者が申告事実をすべて認めた場合には不要ですが、一部でも否認した場合には必要になります。

　上記③の被害感情等は被申告者の処分等を決めるために必要です。

(2) 被申告者に対する事情聴取

　被申告者に対する事情聴取では、①申告者の申告事実の有無、②その他の弁明を聞きます。重要なのは①であり、申告者の主張する事実について細かく認否を聴取してください。具体的には、「飲み会で隣の席に座ったこと認めるが、手を触ったことはない。にや

や笑っていない」などです。

4　事実認定の手法

　被申告者が申告者の主張する申告事実を認めた場合は当該申告事実をそのまま認定します。

　被申告者が申告者の主張する事実の全部または一部を否認した場合は、否認された事実を証明できる客観的証拠の有無を確認します。客観的証拠としては、録音、当時の日記、メール等があります。また、客観的証拠がない場合には、目撃者等の第三者から事情聴取を行います。第三者の証言は、申告者や被申告者と特別の関係がない者の証言である限り、信用できるものとして取り扱います。

　被申告者が被申告者の主張する事実を否認し、かつ、客観的証拠や目撃証言が存在しない場合には、申告事実を認定することはできません。

事実認定の過程

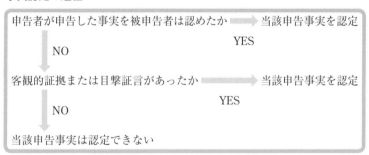

事実認定の具体例

【申告者の主張する事実】
① 　平成30年7月30日に部の打ち上げで飲み会に行った。
② 　一次会のとき、B部長から、「つべこべいわずに飲め」とお酒をす

すめられた。
③　飲み会の後、B部長から「カラオケに行こう」と誘われて2人でカラオケボックスに行った。
④　カラオケボックスに入る際、私は泥酔していた。
⑤　カラオケボックスでは、B部長は私の隣に密着して座って肩に手を回してきた。また、頬にキスをされた。
⑥　カラオケボックスから出る頃には、1人で歩けず、B部長に肩を抱かれて店を出た。
⑦　カラオケボックスには2時間くらいいた。

【被申告者の主張する事実】
①　平成30年7月30日に部の打ち上げで飲み会に行った。
②　一次会のとき、Aにお酒をすすめていない。
③　飲み会の後、カラオケに誘ってきたのはAである。
④　カラオケボックスに入る際、Aはそれほど酔っていなかった。
⑤　カラオケボックスでは、歌を歌っただけである。
⑥　カラオケボックスから出る際、Aは独力で歩いていた。
⑦　カラオケボックスには1時間くらいいた。

【認定できる事実】
①　平成30年7月30日に部の打ち上げで飲み会に行った（争いがない）。
②　一次会のとき、B部長はAに対して、「つべこべいわずに飲め」とお酒をすすめた（同席者の証言）。
③　飲み会の後、カラオケに2人で行った（この部分に限って争いがない）。
④　カラオケボックスに入る際のAの状況およびカラオケボックス内で何があったかは不明。
⑤　カラオケボックスから出る頃、AはB部長に肩を抱かれて歩いていた（カラオケ店の店員の証言）。
⑥　カラオケボックスにいた時間は1時間くらいであった（タクシーの領収書）。

Q7 ハラスメントの事実が確認されました。どのような対応をすべきですか。

解説

ハラスメントの事実が確認された場合、①加害者に対する処分、②被害者への対応、③再発防止策の3つを検討しなければなりません（なお、ハラスメントの事実が確認された後は、「加害者」、「被害者」という言葉を用いてもかまいません）。

1　加害者に対する処分

加害者に対する処分としては、懲戒処分とそれ以外の人事処分が考えられます。懲戒処分をする際の手順、注意点等は第7章Q1、Q4を参照してください。人事処分としては、配置転換、降格処分等が考えられます。配置転換については第4章Q5を、降格処分については第4章Q12を参照してください。

懲戒処分や人事処分をする際には、加害者に対して、会社がどのような事実を認定し、どうしてそのような処分をするのかについてきちんと説明してください。

2　被害者への対応

被害者に対しては、調査結果や加害者に対する処分の結果、再発防止策を説明してください。被害者が処分に納得しない場合も少なくないと思いますが、重い懲戒処分は違法になること等を説明して、理解を得るように努めてください。

職場環境調整の一環として、会社が加害者から被害者への謝罪や損害賠償の仲介をすることがあります。もっとも、必ずしも会社がそのような仲介をする義務を負っているわけではありませんし、か

えって会社に対する反感につながる可能性がありますので、そのような対応を行うかどうかは慎重に判断してください。

また、会社自身が被害者に対して使用者責任あるいは職場環境配慮義務違反の責任を負うことがあります（Q8、第7章Q18を参照してください）。被害者から請求があり、会社としても法的責任があると判断した場合にはすみやかに賠償することをおすすめします。

3　再発防止策の策定

再発防止の一環として、懲戒処分を会社内で公表することがありますが、申告者や懲戒処分を受けた従業員のプライバシー侵害の問題が生じますので、対象者が誰であるかが特定できないように注意してください（第7章Q6を参照してください）。

加害者の反省の色が薄い場合には、加害者個人に対してハラスメント研修を実施してください。

それまで会社でハラスメント対策を講じていない場合には、早急にハラスメント対策を検討してください（ハラスメント対策についてはQ4を参照してください）。

Ⅱ　ハラスメントの防止と対応　251

Q8 ハラスメントの加害者である従業員は被害者に対してどのような責任を負うのですか。会社や代表取締役も責任を負うのですか。

解説

1　ハラスメントの加害者である従業員の責任

　ハラスメントの加害者である従業員は、被害者である従業員に対して、不法行為に基づく損害賠償責任（民法709条）を負います。

　この損害賠償責任の内容は、通常は、ハラスメント行為によって被害者に生じた精神的苦痛に対する慰謝料ですが、例外的にハラスメント行為によって退職を余儀なくされた場合について逸失利益が損害として認められる場合があります（青森地判平成16年12月24日労判889号19頁）。

　また、ハラスメント行為に起因して精神疾患等を生じた場合や、被害者が自殺した場合には、加害者は以下の内容の賠償責任を負います。

被害者が精神疾患にり患した場合の加害者の損害賠償責任

損害項目	金額の目安・算定方法
①　慰謝料 　（ⅰ）　通常の慰謝料 　ハラスメント行為によって被った精神的苦痛に対する慰謝料 　（ⅱ）　入通院慰謝料 　治療のために病院に通院・入院したことに対する慰謝料 　（ⅲ）　後遺症慰謝料	（ⅰ）　通常の慰謝料 　Q9を参照してください。 （ⅱ）　入通院慰謝料 　入通院の回数や期間によって異なります（数十万から数百万円）。 （ⅲ）　後遺症慰謝料 　後遺症の内容によって異なります（数十万から数百万円）。

後遺症が残存したことに対する慰謝料	
② 治療費、入院費用等	治療費、入院費用等の実費
③ 休業損害	会社を休んだことによって、支払いを受けることができなかった賃金相当額
④ 後遺症によって生じる逸失利益	後遺症によって喪失した労働能力に応じて算定

被害者が自殺した場合の加害者の損害賠償責任の内容

① 死亡慰謝料 　死亡したことに対する本人の慰謝料	2000万円から2800万円
② 逸失利益 　死亡したことによって失われた利益（収入）	亡くなった当時の収入、亡くなった年齢等によって異なります。

2　会社の責任

(1)　使用者責任

　ハラスメントは、通常、職務に関連する行為であると認定されますので、会社は被害者に対して使用者責任（民法715条）を負います。この責任は従業員の負う責任を当該従業員に代わって負担する責任です（使用者責任の内容等については、**第7章Q18**を参照してください。なお、加害者が代表取締役の場合は、まさに、会社そのものの行為ととらえて、会社法350条が別の責任を定めています）。

(2) 職場環境配慮義務違反に基づく損害賠償責任

　ハラスメントがない職場環境を作らなければならない義務（職場環境配慮義務）違反を根拠として、会社独自の損害賠償責任を負う場合があります（Q4を参照してください）。

　また、従業員からハラスメントの申告があった場合に、事実確認や事後の措置を行うなど適切な対応を怠った場合には損害賠償責任を負います（最判平成30年2月15日裁時1694号1頁）。

(3) 代表取締役の責任

　代表取締役が加害者の場合、加害者として不法行為に基づく損害賠償責任を負うことは当然ですが、代表取締役が加害者ではない場合においても、ハラスメント行為を認識しつつこれを放置したような事情が認められる場合には、損害賠償責任を負うことがあります（大阪地判平成21年10月16日裁判所ウェブサイト）。

Q9 グループ会社において親会社は子会社で生じたハラスメントに対して法的責任を負いますか。

解説

　親会社と子会社は別会社であり、親会社と子会社の労働者との間には雇用契約（指揮命令関係）は存在しませんから、親会社が子会社で生じたハラスメントについて法的責任を負うことは原則としてありません。

　ただし、例外として、以下の場合には法的責任を負う場合があると解されます（最判平成30年2月15日裁時1694号1頁）。

① 親会社が指揮監督権を行使する立場にあった場合や実質的に労務の提供を受ける関係にあったとみるべき事情がある場合

② 親会社において整備した法令遵守体制の仕組みの具体的内容が、子会社が使用者として負うべき雇用契約上の付随義務を親会社自らが履行しまたは直接間接の指揮監督の下で子会社に履行させるものであったとみるべき事情がある場合

③ 法令遵守体制の一環として、グループ会社の事業場内で就労する者から法令等の遵守に関する相談を受ける相談窓口制度を設け、その者に対し、相談窓口制度を周知してその利用を促し、現に相談窓口における相談への対応を行っており、かつ、グループ会社の事業場内で就労した際に、法令等違反行為によって被害を受けた従業員等が、相談窓口に対しその旨の相談の申出をした場合

Q10 ハラスメントに対する慰謝料の相場感を教えてください。また、慰謝料を検討するうえで参考になる判例を教えてください。

解説

1 慰謝料の相場感

ハラスメントに対する慰謝料は、態様が言葉だけであれば数十万円、暴行等を伴う場合には数百万円というのが相場感です（入通院慰謝料・後遺症慰謝料・死亡慰謝料についてはQ8を参照してください）。

もっとも、具体的に金額を算定するには、類似事例の判例を参考にするしかありません。

2 ハラスメント慰謝料の金額を検討するために参考になる判例

事案の概要	慰謝料額
暴行・脅迫を伴うひどいいじめ（東京地判平成28年12月20日労判1156号28頁）	400万円
ストーカー行為を受け被害者が会社を退社した事案（名古屋高判平成28年7月20日労判1157号63頁）	200万円
強姦未遂や強制わいせつに該当するようなセクハラ事案（青森地判平成16年12月24日労判889号19頁）	200万円
社会通念上許容される範囲を超えた言動を用いて業務指導を行った結果うつ病を発症し5年にわたって通院した事案（東京地判平成26年7月31日労判1107号55頁）	150万円
多数回にわたる暴行・暴言に加えて坊主頭にさせた事案（福岡地判平成27年11月11日労判1152号69頁）	100万円
能力に関する非難を一方的に行った違法なパワハラの結果自主退職した事案（東京高判平成29年4月26日労判1170号53頁）	100万円

セクハラ発言に加えて嫌がらせと受け止められても致し方ないような業務命令をした事案（札幌地判平成27年4月17日労判1134号82頁）	70万円
能力に関する非難を一方的に行った違法な退職勧奨の事案（名古屋高判平成30年9月13日労判1202号138頁）	60万円
社会通念上許容される範囲を超えた言動を用いて業務指導を行った事案（福岡地小倉支判平成28年4月19日労判1140号39頁）	35万円
部下に対して「能力が低い」、「出来が悪い」など人格非難を伴う業務指導を行った事案（東京地判平成28年7月26日公刊物未登載）	25万円

第9章

休職命令

I 休職命令とは？

Q1 休職命令とはどのような制度ですか。また、休職はどのような場合に命ずることができますか。職種を限定して採用した場合に何か違いはありますか。

解説

1 私傷病休職制度は普通解雇を回避するための制度

休職命令とは、業務外の傷病（私傷病）による欠勤が一定期間継続した場合等に、労務への従事を免除ないし禁止する命令です。この休職命令は、法律上当然に命ずることができるわけではありません。休職制度を設けて就業規則に規定がある会社だけが休職命令を発することができます。

休職命令の可否を考えるうえで重要な視点は、この制度が「普通解雇を回避するための制度である」ということです。換言すると、休職制度は、「労務を提供できない以上、本来は普通解雇されてもやむをえない状態だけれども、従業員に安心して休んでもらい回復するのを待つ」という従業員のための制度だということです。

2 休職命令の要件

休職命令を出すことができるのは、就業規則で定める要件を満たした場合だけです。

私傷病休職の要件としては、たとえば、①一定期間（所定の期間）

の欠勤が継続した場合、②従業員の私傷病により「業務支障が生じる場合」、または、③「(①、②に準ずる)やむをえない事由がある場合」等と定めている会社が多いようです。

これらの要件のうち、①については、要件が明確ですから休職命令の可否が問題となることはほとんどありません。問題が生じるのは、②や③の要件充足性です。

実務では、②や③の要件充足性を安易に認めてしまう会社が多いという印象がありますが、上記1のとおり、休職は普通解雇猶予の制度ですから、「解雇事由に相当する事由」がない限り休職命令を出すことはできません。

「解雇事由に相当する事由」というのは、要するに、従業員が労務提供義務を果たすことができない事由のことです。

このように休職命令を出すための要件は、基本的には、普通解雇の要件と同じですから、普通解雇の要件と同じように、職種を限定して採用した従業員とそれ以外の従業員では要件が異なります(詳細は第6章Q2を参照してください)。

(1) 職種を限定せずに採用された従業員の場合

従業員が会社に命ぜられた職務やそれまでの業務を担当できなくなった以上、労務提供義務を果たせないといえそうですが、職種を限定せずに採用された従業員の場合は、そうではありません。仮に、従業員が従前の業務について労務提供ができなくても、会社内に配置・異動することができる他の業務が存在する場合には、それらの業務を担当できる以上、労務提供義務の不履行には該当しないのです。

したがって、職種を限定せずに採用された従業員の場合は、「会社内に配置・異動することができる他の業務が存在しないこと」が

休職命令の要件となります。

(2) 職種を限定して採用された従業員の場合

これに対して、職種を限定して採用された従業員の場合には、従業員の労務提供義務の内容は、限定された職種の提供ですから、この限定された職種を担当できない場合には、労務提供義務の不履行に該当します。

したがって、職種を限定して採用された従業員の場合には、「限定された職種を担当できないこと」が休職命令の要件となります。

Q2 休職命令の可否を判断するうえで参考になる判例を教えてください。

解説

休職命令の可否を判断するうえで参考になる判例は以下のとおりです。

休職命令の可否を判断するうえで参考になる判例

① 最判平成10年4月9日労判736号15頁
　職種限定がない場合の従業員の労務提供義務の内容について、「現に就業を命じられた特定の業務について労務の提供が十全にはできないとしても、その能力、経験、地位、当該企業の規模、業種、当該企業における労働者の配置・異動の実情及び難易等に照らして当該労働者が配置される現実的可能性があると認められる他の業務について労務の提供をすることができ、かつ、その提供を申し出ているならば、なお債務の本旨に従った履行の提供があると解する」とした。

② 東京地判平成24年12月25日労判1068号5頁
　視覚障害を発症し、パソコン等の操作に支障を来す状態であった総合職の従業員に対する休職命令を有効とした。

③ 東京地判平成27年5月28日労判1162号73頁
　従業員の精神的な不調の存在ゆえに、休職命令の時点において、労働契約上、その職種等に限定がないことを考慮しても、社内における配置転換により労働契約上の債務の本旨に従った履行の提供をすることができるような職場を見いだすことは困難な状況にあったとして、休職命令を有効とした。

④ 最判昭和63年9月8日労判530号13頁
　会社指定医の受診命令を拒否した労働者に対する休職命令を有効とした。

Q3 就業規則で休職制度を設けている場合に、休職命令を出さずにいきなり解雇することはできますか。

解説

　就業規則で休職制度を設けている場合、まずは休職命令を出すべきであり、休職命令を出さずにいきなり解雇しても無効になる可能性が高いと解されます（最判平成24年4月27日労判1055号5頁）。

　例外的に、治癒の見込みがまったくないような場合には、休職命令を経ない普通解雇が有効になる場合があります。たとえば、脳梗塞を発症して治癒の見込みがまったくないような場合に、休職制度を利用せずに実施した欠勤期間中の普通解雇を有効とした判例（東京地判平成14年4月24日労判828号22頁）があります。

　また、問題行動を繰り返す従業員に対して懲戒処分や指導を行っていたほか、精神科医への受診および通院加療等を命じるなどしたにもかかわらず、従業員が、継続的な通院を怠り、問題行動を繰り返していた場合に、休職の措置をとることなくいきなり解雇に及んだとしても解雇権を濫用したものということはできないとした判例（東京地判令和元年8月1日労経速2406号3頁）があります。

Q4 会社は健康診断を実施する義務を負いますか。また、健康診断を受診しない従業員に対して懲戒処分をすることはできますか。健康診断の結果、要治療との診断がなされた従業員に対して会社はどのような措置を講ずるべきですか。

解説

1 定期健康診断

会社は、定期健康診断を実施すべき義務を負い（労働安全衛生法66条1項）、従業員は定期健康診断を受診する義務を負います（同項）。

従業員が定期健康診断の受診を拒否した場合に懲戒処分をすることができるか否かは争いがありますが、労働安全衛生法と結核予防法（現在は廃止）の受診義務の規定を根拠に、X線検査を拒否した職員に対する懲戒処分を有効とした判例（最判平成13年4月26日労判804号15頁）があります。

2 医師からの意見聴取

健康診断の結果、異常の所見があると診断された従業員に関して、会社は医師から意見を聴取しなければなりません（労働安全衛生法66条の4）。

医師から意見を聴取するにあたっては、医師に対して、労働時間、職務の内容、過去の健康診断に関する結果等の情報を提供する必要があります。

3 職務軽減等の就業上の措置の決定・実施

会社は、医師の意見を勘案して必要に応じて、①就業場所の変更、②作業の転換、③労働時間の短縮、④深夜業の回数の減少等の就業

上の措置を講ずる義務を負います（労働安全衛生法66条の5）。

　このような就業上の措置を決定するにあたっては、従業員の意見を聴くとともに、措置の内容について従業員に説明して同意を得るように努めてください。

　また、上記措置の一環として、会社が労働時間を短縮したり、休業命令を出した場合には、労務の提供の存しない限度で賃金を支払う必要はありません（昭和23年10月21日基発第1529号）。

　なお、健康診断後の会社の安全配慮義務が問題になった判例として、健康診断の結果、異常がみつかった従業員に対して、宿泊を伴う研修への参加を決定し、その結果、従業員が急性心筋虚血によって死亡するに至った事案において会社の安全配慮義務を認めた判例（札幌高判平成18年7月20日労判922号5頁）が参考になります。

Q5 休職命令を出すまでの手順を教えてください。

解説

1 就業規則で休職命令の要件を確認

まず、就業規則を確認し、休職命令の要件を確認します（Q1を参照してください）。

従業員が私傷病により欠勤し、就業規則所定の日数の欠勤が継続した場合には、休職命令を出してかまいません。問題は、労務の提供ができないにもかかわらず（その原因として何らかの傷病に罹患している可能性が疑われる場合です）、出勤し続けている従業員に対する対応です。

2 上司や同僚等からのヒアリング

対象者たる従業員（以下、本設問において「対象者」といいます）の直属の上司等に事情聴取を行い対象者の勤務状況や言動を把握してください。

事情聴取にあたっては、対象者のプライバシーを侵害しないように注意してください。そのための具体的方法としては、事情聴取を行う人数を必要最小限にとどめること、ヒアリングの対象者に守秘義務を課すこと等があげられます。

3 医師との相談

上司や同僚の事情聴取の結果、異常な言動があり、労務提供ができていない状況であることが確認できた場合には、医師（産業医等）に相談してください。

相談する医師に対しては、①対象者が傷病にり患していることが疑われるか否か、②対象者と面接をする際にどのような事項を聴取すべきか、③仮に、その傷病だった場合、どのようなリスクがあるか、④対象者との面接や対応において何に気をつけるべきかについて助言を求めます。

4 対象者との面談

医師と相談した結果、対象者が何らかの傷病にり患していることが疑われる場合、対象者と面接して事情を聴きます。

面接にあたっては、対象者のプライバシーを尊重し、かつ、ストレスを与えて病状を悪化させることのないように注意してください。

対象者からは、①業務がきちんとできていない理由、②病院で受診しているか否か、③受診している場合は病名・病状を聞いてください。

対象者が受診していない場合には、病院で診断を受けるように勧めてください。対象者が受診しようとしない場合は業務命令としての受診命令を検討します（受診命令については、Q6を参照してください）。この場合、対象者の病状が芳しくないと思われる場合には、受診して病状を把握することができるまで出勤停止とすることも検討してください。なお、この場合の出勤停止は有給です（出勤停止については第4章Q4を参照してください）。

また、出勤の可否を判断するための資料として、対象者に対して、主治医の診断書を提出するよう指示してください。その際、診断書には、職務遂行の可否（仕事ができるかどうか）についての意見を記載してもらうようにしてください。

5　休職命令の検討

医師の診断書が提出された後、休職命令の可否を検討します（休職命令の可否の判断基準はQ1を参照してください）。その際、産業医の意見を聴くだけではなく、診察した主治医と面談し意見を聴くなどして慎重に検討してください。会社が診察した主治医から意見を聴く場合には、事前に対象者から同意をとってください。

6　休職命令の発令

休職命令の要件を充足すると判断した場合、対象者に十分に説明を行い、自ら休職申請書を提出させるなどしたうえで休職命令を出してください。その際、休職命令は口頭ではなく書面で命ずるようにしてください（書式：休職命令書参照）。

将来の紛争を防止するためです。

休職命令を出すまでのステップ

① 就業規則上における休職命令の規程の確認
② 従業員の勤務状況・言動について、直属の上司等から事情聴取して病状等の把握
③ 産業医等に相談
④ 対象者本人から事情聴取
⑤ 対象者が受診していない場合は、受診を促す。受診しない場合は受診命令を検討
⑥ （職種を限定した労働契約の場合） 　特定された職種や業務内容の範囲内で、従業員の労務提供の可否を検討する。 （職種を限定した労働契約ではない場合） 　会社内に対象者を配置・異動することができる他の業務がまった

くないかどうかを検討する。
⑦　休職命令

書式：休職命令書

　　　　　　　　　　　　　　　　　　　　　令和〇〇年〇〇月〇〇日
〇〇　〇〇　殿
　　　　　　　　　　　　　　　　　　　　　　株式会社　〇〇〇〇
　　　　　　　　　　　　　　　　　　　　　　人事部長　〇〇　〇〇

　　　　　　　　　　　　　　休職命令書

　貴殿には、休職規程第〇条第〇号の休職事由が認められるので、同条に基づき、休職を命じます。
　休職期間は、休職規程第〇条第〇号に基づき、令和〇〇年〇〇月〇〇日より（最大〇年）となります。
　休職期間中の処遇等は、休職規程第〇条の定めるところによります。
　休職期間途中健康が回復され職場復帰可能となった場合には、人事部〇〇宛て（03-〇〇〇〇-〇〇〇〇）にご連絡ください。
　　　　　　　　　　　　　　　　　　　　　　　　　　　　　　以上

Q6 従業員の様子から心身の不調が疑われる場合、どのような対応をすればよいですか。

解説

1 従業員の状態の把握

従業員の様子から心身の不調が疑われる場合、まずは、従業員の状況（病状と業務負担）を把握する必要があります。

従業員の病状を把握する方法としては、Q5 を参照してください。

2 受診指示・受診命令

従業員の状態から精神疾患にり患していることが疑われる場合、産業医面談や専門医の受診を勧めます。従業員がこの指示に従わない場合には受診命令の可否が問題となります。

精神疾患以外の病気については、就業規則に受診命令の根拠規定がある場合には、受診命令を出すことができます。受診命令を出す際には、病院や担当医師、受診の時期を指定することも可能です（最判昭和 61 年 3 月 13 日労判 470 号 6 頁）。受診命令は業務命令の一種ですから、これに従わなかった従業員に対しては、就業規則の定めに従って懲戒処分をすることができます。

精神疾患が疑われる場合、従業員の人格やプライバシーにかかわる問題ですので、業務命令としての受診命令の可否は慎重に判断しなければなりません（名古屋地判平成 18 年 1 月 18 日労判 918 号 65 頁）。受診しないことにより従業員に危険が生じる可能性がある場合や、業務に支障が生じる蓋然性がある場合等の事情が認められる場合に限って受診命令を出すべきでしょう。この点で、その言動から精神疾患が疑われる従業員に対する受診命令が有効であるとの前

提でこれを拒否したことを解雇事由として考慮することができるとした判例（東京高判平成30年5月30日公刊物未登載）が参考になります（ただし、結論として解雇を無効と判断。なお、原審〔長野地松本支判平成29年10月18日〕は受診命令を拒否した場合に休職命令を出すことを肯定しています）。

これに対して、就業規則に受診命令の根拠規定がない場合には、受診命令を出すことは原則として認められません（そのため、就業規則に受診命令の根拠規定を定めることをおすすめします）ので、任意に受診するよう粘り強く説得してください。

3 職務軽減措置

従業員の状態から疾病にり患していることが疑われる場合、職務軽減措置を検討します。職務軽減措置を講ずる際には医師の見解を参考にすることをおすすめします。

この点、判例（最判平成26年3月24日裁判集民246号89頁）が、「使用者は、必ずしも労働者からの申告がなくても、その健康に関わる労働環境等に十分な注意を払うべき安全配慮義務を負っているところ、労働者にとって過重な業務が続く中でその体調の悪化が看取される場合には、（メンタルヘルスに関する）情報については労働者本人からの積極的な申告が期待し難いことを前提とした上で、必要に応じてその業務を軽減するなど労働者の心身の健康への配慮に努める必要があるものというべきである」と判示しているのが参考になります。

Ⅱ
休職期間中の法律問題

Q7 休職期間中の従業員に賃金を支払う必要はありますか。休職期間中は、従業員に対して連絡をとった方がよいのですか。

解説

1 休職期間中の賃金

休職中の従業員に対しては、原則として賃金を支払う必要はありません（ノーワークノーペイの原則）。ただし、就業規則に別異の定めがある場合にはこれに従う必要があります。

なお、健康保険に加入している会社の場合、休職期間中の従業員は、いわゆる傷病手当金（標準報酬額の3分の2、期間は最長で1年6か月）の支払いを受けることができます。

2 休職期間中の連絡

休職期間中、従業員の病状や治療の状況を把握するとともに、復職にあたって従業員に不安な点はないか尋ねるなどして職場復帰を支援してください。

休職制度を設ける際には、休職期間中一定期間ごとに状況報告書を提出させるような制度設計にするなど、定期的に従業員と連絡をとって状況を把握することができるように工夫してください。

もっとも、たとえば、ストレスを原因とする精神疾患にり患しているような場合には、会社と連絡をとることそれ自体が病状を悪化

させてしまう場合がありますので、そのような病気の場合には、連絡方法等について産業医に相談しつつ進めてください。

Q8
休業と休職はどのように異なるのですか。私傷病休職として取り扱っていた従業員について、労災認定がなされた場合にはどのような取扱いとなるのですか。

解説

1 休職と休業

(1) 休職と休業

休職と休業という言葉は、実務ではあまり区別されずに使われているようです。もっとも、休職は、典型的には、従業員が私傷病により会社を休む場合に用いるのに対して、休業（工場の閉鎖や業務上災害）は、会社側に原因があって従業員が会社を休まざるをえなくなった場合に用いることが多いようです。

(2) 私傷病休職と業務上災害による休業

私傷病休職と業務上災害による休業は、従業員が労務提供をすることができないという点では同じですが、私傷病休職は原因が従業者自身にあるのに対し、業務上災害による休業は会社に原因がある点で根本的に異なるものです。そのため、私傷病休職と業務上災害による休業とでは、従業員の処遇や会社の責務がまったく異なりますので注意が必要です。

私傷病休職と業務上災害による休業の違い

	私傷病休職	業務上災害による休業
賃金	無給（傷病手当金）	休業補償（有給）

| 解雇 | 通常と同じ要件 | 解雇制限あり
（労働基準法19条1項） |

2 私傷病休職扱いとしていた社員について労災認定がなされた場合

　私傷病休職の場合、健康保険組合から傷病手当金が支払われるものの、会社から給与は支払われません。また、休職期間満了時に職場復帰できない場合には自然退職または解雇されることになります。

　しかし、後に、私傷病ではなくて業務上災害であることが明らかになった場合、まず、自然退職または解雇は無効になり、従業員としての地位を有していたことになります。

　また、休職期間中に無給としていた場合は、会社は休業補償あるいは給与の全額（業務上災害について会社の過失が認められる場合）を支払わなければなりません。この点、従業員が休業期間中に傷病手当金を受給していた場合でも、会社は未払賃金から従業員が受給した傷病手当金の額を控除することは認められません（従業員は健康保険組合に返還する義務を負います。以上について、最判平成26年3月24日労判1094号22頁、東京高判平成28年8月31日労判1147号62頁）。

Q9

休職期間満了時に復職を認めるか、あるいは、解雇または自然退職にするかはどのような基準で判断すべきですか。判例をふまえた基準を教えてください。

解説

1 休職期間満了時の復職の可否

休職期間満了前に従業員が「治癒」した場合（休職事由が消滅した場合）、会社は復職を認めなければなりません。「治癒」したと認められるためには、従前の職務を通常の程度に行いうる健康状態に回復することを要すると解するのが自然のように思われますが、実際には、従前の職務を通常の程度に行うことができないからといって、必ずしも解雇や自然退職が認められるわけではありません。むしろ、判例は、休職期間満了による解雇または自然退職が認められるための要件を厳しく判断する傾向があります。

休職期間満了による解雇または退職の可否の判断基準は、職種限定がなされている場合とそうではない場合とで異なりますので、以下、場合分けをして解説します。

2 職種限定がなされていない従業員の場合

職種限定がなされていない従業員の場合、休職期間満了による解雇または退職の可否についての判例の基準は以下のとおりです。

職種限定がなされていない従業員の場合の判例の基準

基準	判例
① 会社に現実的に配置可能な業務があるか否か	大阪地判平成20年1月25日労判960号49頁、東京地判平成16年

	3月26日労判876号56頁
② 当初は軽易な職務に就かせれば、ほどなく（2、3か月）、上記①の職務を通常に行うことができると予測できるか否か	東京地判平成16年3月26日労判876号56頁、札幌地判平成11年9月21日労判769号20頁

　上記判例の基準からすると、職種限定がなされていない従業員の場合は、まず、会社に現実的に配置可能な業務があるか否かを検討し、そのような業務が存在する場合には復職を認めなければなりません。次に、仮に、ただちに通常業務に戻ることは難しい場合であっても、2、3か月程度のリハビリ勤務の期間を設けることで、就労可能になるような状態であればリハビリ勤務を実施し様子をみる必要があります。

3　職種限定がなされている従業員の場合

　職種限定がなされている従業員の場合、休職期間満了による解雇または退職の可否についての判例で示された基準は以下のとおりです。

職種限定がなされている従業員の場合の判例の基準

基準	判例
① 限定された従前の職務への復職が可能であるか否か	札幌高判平成11年7月9日労判764号17頁
② 当初は軽易な職務に就かせれば、ほどなく（2、3か月）、上記①の職務を通常に行うことができると予測できるか否か	札幌地判平成11年9月21日労判769号20頁（この判例は職種限定がなされていない事案に関するものですが、左記の判示内容は職種限定がなされている事案につい

　　　　　　　　　　　　　　　　ても妥当するものと解されます)。

　上記判例の基準からすると、職種限定がなされている場合、まず、限定された従前の職務への復職が可能であるか否かを検討し、可能であれば復職を認めなければなりません。次に、仮に、従前の業務にただちに戻ることは難しい場合であっても、2、3か月程度のリハビリ勤務の期間を設けることで、就労可能になるような状態であれば、リハビリ勤務（従前の業務）を実施し様子をみる必要があります。

　なお、職種限定の判例ではありませんが、総合職として採用された労働者の休職からの復職可能性を検討すべき職種は総合職であり、復職に際しての配置可能な「『他職種』とは、被告の総合職の中で、原告が休職前に従事していた職種以外の職種を指す」として、休職期間満了後の退職の取扱いを有効とした判例（東京地判平成25年1月31日労判1083号83頁）が参考になります。

Q10 復職を認める場合あるいは休職期間満了により退職・解雇とする場合は、それぞれどのような手順を踏む必要がありますか。

解説

1 休職および職場復帰等に関する手続規程を定める

休職および職場復帰等に関する規程を整備して、休職から復帰までの流れをあらかじめ明確にすることをおすすめします。具体的には、厚生労働省の「〔改訂〕心の健康の問題により休業した労働者の職場復帰支援の手引き」(以下「職場復帰の手引き」といいます)に登載されている「私傷病による職員の休業及び復職に関する規程(例)」を参照して、就業規則の別則として規定を策定してください。

2 復職あるいは退職・解雇に至るまでの具体的な流れ

休職中の従業員が復職あるいは退職・解雇に至るまでの具体的な流れは以下のとおりです。

(1) 休職期間満了前に通知

会社から休職中の従業員に対して、「あなたの休職期間は令和○年○月○日をもって満了になります。復職の意向の有無をお知らせください」などと通知してください。休職期間満了の通知をしなかった場合、従業員との間でトラブルが生じる可能性がありますし、退職・解雇の効力に疑義が生じる可能性があります。この点に関して、休職期間が満了することおよび復職の相談があれば早期に申し出るように会社から告知を受けていたにもかかわらず、復職願や復職に関する相談の申出をしなかった従業員を、休職期間満了による

自然退職とした取扱いを有効とした判例（東京高判平成25年2月27日労判1072号5頁）が参考になります。

(2) 主治医の診断書の提出

休職中の従業員から職場復帰の意向が示された場合、従業員に対して診断書（主治医作成のもの）の提出を求めてください。その際、職場復帰に関する意見や就業上配慮すべき事項を診断書に記載してもらってください。なお、医師に依頼する事項については、職場復帰の手引きに掲載されている「職場復帰支援に関する情報提供依頼書」を参照してください。

(3) 職場復帰の可否の判断

主治医の診断書において職場復帰が可能であるとの記載がなされていても、鵜呑みにするのではなく、以下のような手順を踏んで、職場復帰の可否を検討してください。

ア　従業員との面接

従業員と面談して、病状、職場復帰後の業務に関する希望等を聴取してください。

イ　主治医との面談

主治医の診断書の記載内容に不可解あるいは疑問点がある場合には、従業員の同意を得たうえで、主治医と面談して確認してください。

ウ　指定医の診断

主治医の診断に疑問がある場合には、指定医の診断を受けるように従業員に指示してください。

主治医と指定医で復職の可否に関する意見に食い違いがあった場合はどちらの所見を信用するべきかという難しい問題に直面します（参考判例として大阪高判平成14年6月19日労判839号47頁）。どう

しても決められない場合には、一定期間のトライアル勤務を設けるなどして、様子をみてから復職の可否を最終判断した方がよいでしょう。

エ　トライアル勤務・リハビリ勤務

　産業医等の意見を聴いて復職の可否およびトライアル勤務・リハビリ勤務の要否を判断してください。

　トライアル勤務とは、職場復帰の可否を判断するために、試験的に出勤をさせて様子をみることをいい、リハビリ勤務とは、休職期間中あるいは復職後に、まずは、軽微な作業や短時間労働から始め、段階的に従前の業務内容や時間に戻していくことをいいます。

　トライアル勤務・リハビリ勤務期間中であっても、会社は、最低賃金法の最低賃金を下回らない範囲で、職務の内容に見合った賃金を支払う義務を負います（名古屋高判平成30年6月26日労判1189号51頁）。

　また、トライアル勤務・リハビリ勤務期間中であっても、従業員に対する安全配慮義務を負っていることに変わりはありません。傷病が再発する可能性がありますので、通常よりも注意して従業員の勤務状況等を把握するようにしてください。従業員は、復職を認めてもらいたいという気持ちから、つい無理をしてしまいがちです。したがって、トライアル勤務・リハビリ勤務を開始する場合には、事前に、体調に不調を来した場合には会社に申し出ること、会社が産業医との面談を指示した場合にはこれに応ずること等をきちんと説明してください（書式：トライアル勤務を行う際の確認書参照）。また、従業員に体調悪化がみられた場合、ただちに、トライアル勤務・リハビリ勤務を中止して医師の診断を受けるよう指示をしてください。

(4) 復職または退職・解雇の通知

　復帰が不可能であると判断された場合、就業規則に休職期間経過とともに自然退職となる旨の規定がある場合には、休職期間の満了とともに当然退職となります（書式：休職期間満了時の自然退職の通知書参照）。この場合、法律上は解雇予告（予告手当の支払い）は不要ですが、その後のトラブルを避けるために、1か月前に自然退職となる旨を通知しておいた方がよいと思います。

　これに対して、就業規則において、休職期間満了時に治癒していないことを普通解雇の事由として規定している場合には、退職の効果を発生させるためには解雇の意思表示をする必要があります（書式：休職期間満了時の解雇通知書参照）。普通解雇ですので、30日前に解雇予告をするか、即時解雇の場合には30日分の解雇予告手当を支払う必要があります（労働基準法20条）。

書式：トライアル勤務を行う際の確認書

株式会社○○○○殿

　　　　　　　トライアル勤務を行うに当たっての確認書

　　　　　　　　　　　　　　　　　　　令和○○年○○月○○日

従業員氏名○○○○

　私は、貴社に復職するにあたって、下記の事項を了解します。

　　　　　　　　　　　　　記

1　現時点で、就業規則第○条第○項に基づく復職の要件を充たさな

いこと及び令和〇〇年〇〇月〇〇日までをトライアル勤務期間とすること
2 トライアル勤務期間中の労働時間・業務内容・労働条件は、別紙のとおりとすること
3 トライアル勤務期間中に、再度同一傷病（〇〇状態）で勤務に耐えられないときは、直ちに申出し、貴社の指示に従うこと
4 リハビリ勤務期間中、定期的（1か月ごと）に主治医の診断書を提出すること。また、貴社が指定する医師の診断を受けること
5 リハビリ勤務期間を経過時において、貴社が指定する医師の診断を以て復職が可能かの判断を受けること。仮に、その際に復職不能と判断された場合には、就業規則第〇条第〇項に基づいて退職となること

以上

書式：休職期間満了時の自然退職の通知書

令和〇〇年〇〇月〇〇日

〇〇　〇〇　殿

株式会社　〇〇〇〇
人事部長　〇〇　〇〇

休職期間満了・退職通知書

　貴殿には、就業規則第〇条第〇号に該当する事由があることから、令和〇年〇月〇日付けで休職を命じてきましたが、就業規則第〇条第〇号の定める休職期間満了後においても、職場復帰（復職）ができないため、就業規則第〇条第〇号に基づき、休職期間満了日である令和〇〇年〇〇月〇〇日限りで退職（自然退職）となる旨、通知をします。

以上

書式：休職期間満了時の解雇通知書

令和〇〇年〇〇月〇〇日
〇〇　〇〇　殿
　　　　　　　　　　　　　　　　　株式会社　〇〇〇〇
　　　　　　　　　　　　　　　　　人事部長　〇〇　〇〇

　　　　　　　　　　解雇通知書
　以下のとおり、通知します。
1　貴殿を令和〇年〇月〇日付けで解雇します。
2　上記1の理由
　貴殿には、就業規則第〇条第〇号に該当する事由があることから、令和〇年〇月〇日付けで休職を命じてきましたが、就業規則第〇条第〇号の定める休職期間満了後においても、職場復帰（復職）ができないため、就業規則第〇条第〇号に基づき貴殿を解雇します。
　　　　　　　　　　　　　　　　　　　　　　　　以上

第10章

退職・定年後

I 自主退職

Q1 辞職と依願退職は何が違うのですか。退職勧奨に応じて退職する従業員からは、辞職届と退職願のどちらの書面を取得すればよいですか。

解説

　従業員が自主的に退職する方法としては、辞職と依願退職の2種類があります。

　辞職は、従業員の一方的意思表示による退職で、会社の同意がなくても退職の効力が発生します。もっとも、ただちに効力が発生するわけではなく、辞職届を提出した日の翌日から数えて2週間が経過した時点で退職の効力が発生します（民法627条）。辞職の撤回はできません。

　これに対して、依願退職は、退職の申入れですので、会社の同意がない限り退職の効果は発生しません。したがって、会社が退職に同意するまでの間、従業員は退職の申入れを撤回することができます。もっとも、退職願を人事部長等が受理した場合には通常は会社の同意がなされたものと判断され、その後の撤回が認められなくなる場合が多いでしょう（最判昭和62年9月18日労判504号6頁）。

　このように、辞職と依願退職は、撤回が認められるかどうかという違いがあります。辞職か依願退職かの判別が微妙な場合、判例は依願退職であると認定して退職申入れの撤回を認める傾向があります（大阪地判平成10年7月17日労判750号79頁）。

そのため、退職勧奨に応じて退職する従業員に対しては、辞職届（書式：辞職届参照）を提出させた方が撤回されるリスクは少ないといえます。もっとも、退職願（書式：退職願参照）が提出された場合でも、同時に退職に同意する旨の書面（書式：退職願に対する同意書参照）を従業員に交付すれば、ただちに退職の効果が生じ撤回はできなくなります。退職の効果をただちに生じさせたい場合には、「退職願＋同意書面」の取り扱い方がよいと思います。

書式：辞職届

辞職届

令和〇〇年〇〇月〇〇日

株式会社〇〇〇〇
代表取締役　〇〇〇〇　殿

住所　東京都〇〇区〇〇
　　　〇丁目〇番〇号
氏名　〇〇〇〇

　私は、会社を令和〇〇年〇〇月〇〇日限り辞職しますので、その旨本書をもって届出いたします。

以上

受理欄

令和〇〇年〇〇月〇〇日

〇〇〇〇は、上記辞職届を、令和〇〇年〇〇月〇〇日に受理した。

〇〇〇〇　㊞

書式：退職願

```
                        退職願

                                    令和〇〇年〇〇月〇〇日
株式会社〇〇〇〇
代表取締役　〇〇〇〇　殿

                            住所　東京都〇〇区〇〇
                                  〇丁目〇番〇号
                            氏名　〇〇〇〇


　私は、本日、会社を退職しますので、本書をもってその旨申出いたします。
                                                    以上
```

書式：退職願に対する同意書

```
〇〇〇〇殿
                        同意書
                                    令和〇〇年〇〇月〇〇日
〇〇〇〇は、本日、貴殿の〇年〇月〇日付け退職願に同意しました。したがって、貴殿は、本日限り、貴殿と当社との間の雇用契約は終了します。
                                            〇〇〇〇　㊞
```

Ⅱ
定年退職

> **Q2** 定年制を設ける際に注意すべき点を教えてください。

解説

1 定年制を設ける際の注意点

　定年制とは、就業規則に定めた年齢に達したことによって労働契約が終了する制度です。定年制を設ける際には、以下の点に注意してください。

①　60歳を下回る定年は無効です（高年齢者雇用安定法8条）。また、女子の定年年齢を性別のみを理由に男子より低く定めることは、公序良俗違反であり認められません（最判昭和56年3月24日民集35巻2号300頁）。

②　新たに定年制を導入する場合、就業規則の不利益変更に該当します。就業規則の不利益変更の要件・手続を充足してください（就業規則の不利益変更の要件・手続は第5章Q4を参照してください）。

2 定年制の運用に関する注意点

　定年制が存在するにもかかわらず、人手不足等から定年退職にせず、そのまま雇用延長することが常態となっている場合には、定年後の自動的雇用継続の慣行が認定され、定年到達者と会社との間に

黙示の雇用延長合意が成立する可能性があります（大阪地判平成15年8月8日労判860号33頁、大阪高判平成18年12月28日労判936号5頁）。

3 継続雇用に関する措置

65歳未満を定年として定める事業主は、①定年の引上げ、②現に雇用している高年齢の従業員が希望するときは、定年後も引き続き雇用する制度（継続雇用制度）、③定年の廃止のいずれかの雇用確保措置を講ずる義務を負っています（高年齢者雇用安定法9条1項1号～3号）。

実務では、比較的柔軟な運用が可能な継続雇用制度を選択する会社が多いようです。

継続雇用制度に関しては、Q3～Q5を参照してください。

なお、令和3年4月から施行される改正高年齢者雇用安定法では、70歳までの就業確保措置を講じることが「努力義務」とされます。

Ⅲ
定年後継続雇用

Q3 60歳を超える労働者の雇用契約について、1年ごとの更新契約とするのはどうしてですか。

解説

　65歳未満を定年として定める事業主は、①定年の引上げ、②継続雇用制度、③定年の廃止のいずれかの雇用確保措置を講ずる義務を負っています（高年齢者雇用安定法9条1項1号～3号）が、実務で最も多く選択されているのは、②の継続雇用制度です。

　継続雇用制度は、いったん定年により退職としたうえで、改めて有期雇用契約を締結するという制度です。いったん定年退職となりますので、労働条件については、改めて従業員との合意により定めることができ、その意味で、定年後の労働条件を柔軟に設定できるという利点があります。これが多くの会社において継続雇用制度が採用されている理由です。もっとも、継続雇用制度を採用したからといって、どのような労働条件でもよいというわけでなく、一定の制約がありますので注意してください（Q5を参照してください）。

Q4 会社が継続雇用を拒否することができる場合はありますか。

解説

　継続雇用制度を採用している会社においても、「心身の故障のために業務に堪えられないと認められること、勤務状況が著しく不良で引き続き従業員としての職責を果たし得ないこと等就業規則に定める解雇事由又は退職事由（年齢に係るものを除く）に該当する場合」には継続雇用を拒否することができます（「高齢者雇用確保措置の実施及び運用に関する指針」〔平成24年11月9日厚生労働省告示第560号〕）。

　なお、平成24年改正高年齢者雇用安定法（平成24年9月5日法律第78号）より前の高年齢者雇用安定法では、労使協定によって継続雇用者を事業場の定める基準によって選別できることとしていましたが、上記改正法では、かかる対象者限定制度を廃止し、希望者全員を継続雇用することを義務づけています（改正前9条2項の削除）。ただし、経過措置が設けられているため、対象者限定制度が完全に廃止されるのは2025年4月からです。

Q5 定年退職後の従業員との間で1年更新の有期雇用契約を締結しようと考えていますが、労働条件を決める際に注意すべきことを教えてください。

解説

1 賃金等

継続雇用制度を採用する場合、定年後1年間の有期雇用契約を締結し、これを毎年更新するという制度を採用する会社が多いと思われます。

この制度では、いったん定年退職となりますので、労働条件については、改めて従業員との合意により定めることになります。

しかし、完全に自由に労働条件を定めることができるわけではありません。

有期雇用契約の労働条件についてはパートタイム・有期雇用労働法8条、9条による制約があります。すなわち、有期契約社員の労働条件について、無期契約社員（正社員）の労働条件と相違を設ける場合、その相違が不合理な内容であってはならないという制約を受けます。

問題は、どのような場合に不合理な相違と評価されるかです。この点は、第12章 Q8 および Q9 で述べることと基本的には同じですが、定年後の有期雇用の場合、定年後の有期雇用であるという事情を考慮に入れて不合理か否かを判断することができると解されています（最判平成30年6月1日労判1179号34頁）。

最判平成 30 年 6 月 1 日の結論と理由・定年後再雇用の事案

相違する労働条件の内容	不合理か	理由
能率給・職務給の不支給	不合理ではない	・代わりに歩合給 ・給与の合計額の差異は 12％ 程度 ・定年後再雇用の場合、老齢厚生年金の受給
精勤手当	不合理	・皆勤を奨励する必要性に差異はない
住宅手当・家族手当の不支給	不合理ではない	・正社員には幅広い世代が存在し、住宅費および家族を扶養するための生活費を補助することには理由がある
役付手当の不支給	不合理ではない	・正社員のなかから指名された役付者であることに対して支給されるもの
超勤手当の不支給	不合理	・嘱託乗務員に精勤手当を支給しないことは、不合理であると評価することができるものに当たり、正社員の超勤手当の計算の基礎に精勤手当が含まれるにもかかわらず、嘱託乗務員の時間外手当の計算の基礎には精勤手当が含まれないという労働条件の相違は、不合理である
賞与の不支給	不合理ではない	・定年後再雇用の場合、定年退職時に退職金受領等

2　担当業務

　定年退職後の従業員について、それまでと異なった業務に就かせることも可能です。ただし、それまでとまったく別の職種に属するような業務については制限されることがあります。

　判例（名古屋高判平成28年9月28日労判1146号22頁）も、改正高年齢者雇用安定法の趣旨からすると、60歳以前の業務内容と異なった業務内容を示すことが許されるとしつつ、「両者が全く別個の職種に属するなど性質の異なったものである場合には、もはや継続雇用の実質を欠いており、むしろ通常解雇と新規採用の複合行為というほかないから、従前の職種全般について適格性を欠くなど通常解雇を相当とする事情がない限り、そのような業務内容を提示することは許されないと解すべきである」として、従前一般事務職であった従業員に対して清掃業務等を提示した行為を違法であるとしています。

Ⅳ 競業避止義務

Q6 従業員が退職します。退職後の競業行為を阻止したいのですが、何か有効な手段はありますか。

解説

1 退職時に競業避止特約を締結する

　退職後の競業行為については、不正競争防止法2条1項7号所定の不正競争（不正の利益を得、または事業者に損害を加える目的で、事業者から示された営業秘密を使用し、または開示する行為）に該当する場合がありますが、当然に禁止されているわけではありません。

　退職後の競業行為を禁止するためには、特約を締結する必要があります。特約がなくても、著しく背信的な行為については信義則に基づき競業行為の禁止を請求することができる余地はありますが、ごく例外的な場合だけです（最判平成22年3月25日民集64巻2号562頁）。

　退職後の競業行為を制限する特約がある場合には、その制限が合理的なものである限り、競業を禁止することができます。もっとも、退職後の競業行為を制限する特約は、従業員の生活に大きな影響を与えますから、判例は合理的かどうかを厳しく判断する傾向にあります。

　実務では、「退職後は競業行為を行わない」などと包括的な内容の競業禁止を記載した同意書を提出させることが多いですが、その

ような包括合意のほとんどは合理性を欠き無効です。競業を禁止する期間（1年以内が目安）、職種（〇〇業）、地域（実際に営業先がある地域に限定するなど）を限定する必要があります（書式：退職時の誓約書参照）。また、どうしても競業行為を禁止したい事情がある場合には、代償措置として金銭を支払うことを検討してください（東京地判平成12年12月18日労判807号32頁、大阪高決平成18年10月5日労判927号23頁）。

競業禁止特約の合理性に関する判例の判断基準
（奈良地判昭和45年10月23日下民集21巻9＝10号1369頁）

考慮する要素	以下の事情を総合較量して判断
① 退職時の退職者の地位・役職 ② 禁止される競業行為の内容 ③ 競業禁止の期間 ④ 禁止される場所の範囲 ⑤ 代償の有無	(i) 競業行為によって現実に会社の利益が害されるおそれがあるか否か (ii) 競業行為を禁止することによって従業員の被る不利益 (iii) 競業行為を禁止することによる社会的な不利益

2　退職した従業員が競業避止義務に違反した場合の対抗策

(1) 退職金の不支給・減額（違約金の請求）

退職後競業他社に就職した場合に退職金を不支給とする就業規則等の定めがある場合には、元従業員に対する退職金を不支給とすることが考えられます（最判昭和52年8月9日労経速958号25頁）。しかし、就業規則等に上記のような定めがあるからといって、退職金の不支給が必ず有効になるわけではありません。不支給が有効であ

ると認められるためには、労働の対償(功労報酬的対価)を失わせることが相当であるような顕著な背信性が必要であると解されています(名古屋高判平成2年8月31日高民集43巻2号125頁)。

退職金不支給を定める就業規則等がない場合には、退職金の不支給・減額は認められません。

(2) 競業行為の差止請求

競業禁止特約を根拠に、元従業員に対して競業行為の差止めを請求することが考えられます(判例として、大阪地判平成3年10月15日労判596号21頁、東京地判平成20年11月18日労判980号56頁)。

しかし、判例は、差止請求については慎重な判断姿勢を示しており、従業員の競業行為によって会社の利益が現実に侵害され、あるいは侵害される具体的なおそれがあることが必要であるとしています(東京地決平成7年10月16日労判690号75頁)。

書式:退職時の誓約書

株式会社〇〇〇〇殿

誓約書(退職時)

第1条 秘密保持の誓約

　私は、退職後において、貴社在職中に知り得た以下の秘密情報につき、厳に秘密として保持し、貴社の事前の許可なく、いかなる方法をもってしても、開示、漏洩または使用しません。

① 製品技術・設計、企画、開発に関する事項
② 製品販売・顧客情報に関する事項
③ 財務・経営に関する事項
④ 人事管理に関する事項
⑤ 他社との業務提携に関する事項

⑥　子会社、関連会社、業務上知り得た第三者に関する事項

⑦　その他、貴社が業務上秘密としている一切の事項

第2条　資料等の返還

　私は、貴社在職中に入手した秘密情報に関するデータ・情報書類等を、すべて貴社に返還済みであり、一切所持していないことを誓約します。

第3条　秘密情報の帰属

　私が在職中に知り得た秘密情報は、すべて貴社に帰属することを確認し、秘密情報および秘密情報に係る権利が私に帰属する旨の主張を、一切しないことを誓約します。

第4条　競業避止義務

　私は、退職後、以下の行為を行いません。

① 退職後1年間、私が在職中に担当した〇〇地域における顧客に対して、貴社の行う事業と類似のサービスもしくは商品の勧誘、受注、提供等を行い、または、そのようなサービスもしくは商品の勧誘、受注、提供等につき第三者を支援すること

② 退職後1年間、〇〇地域において、貴社在籍中に私が担当した事業（競業事業）を、自ら直接もしくは間接に行い、または競業事業を行う法人との間で労働契約、委任契約もしくはこれに準ずる契約を締結すること

③ 退職後1年間、直接・間接を問わず、貴社の社員に対して、転職勧誘のために連絡・接触すること、また、当該社員を貴社から退職させ、自己もしくは第三者において雇用する等の目的で、貴社の社員に連絡、接触、勧誘、提案、説得すること

以上

令和〇〇年〇〇月〇〇日

住所

氏名　　　　　　　　㊞

Q7

会社の元従業員が、退職後に当社の従業員の引抜きを繰り返しています。どのように対処するのがよいですか。

解説

　従業員には転職の自由がありますので、元従業員が転職の勧誘を行ったからといって、違法になることは原則としてありません。例外的に、元従業員がきわめて背信的な方法で（計画的かつ悪質な手段を用いた場合）引抜きを行った場合に、違法と評価されることがあります（東京地判平成3年2月25日労判588号74頁）。

　したがって、引抜きが背信的な方法で行われているような場合には、相手方に対して、警告書を送付するなどの対処をします。他方で、通常の勧誘行為にとどまっている場合には、勧誘を受けている従業員に対して慰留の説得をするしかありません。

V

退職勧奨

Q8 退職勧奨をする際の注意点を教えてください。また、退職勧奨に関して参考になる判例を教えてください。

解説

1 退職勧奨をする際の注意点

　従業員に対して、自主退職を促すことを退職勧奨といいます。退職勧奨それ自体は適法な行為であり、実務でも広く行われています。

　退職勧奨をする際の注意点の1つ目は、従業員が退職勧奨に従って退職届を提出した場合であっても、自主退職について確定的同意がない、あるいは意思表示に瑕疵があると判断され無効になる場合があるということです。従業員から同意を取得する際の注意点は第5章Q2を参照してください。

　2つ目は、退職勧奨が行きすぎて従業員の自由意思や名誉感情等の人格的利益を侵害した場合には、違法な退職強要になり、損害賠償責任を負う可能性があるということです。実際、退職拒否の意思表示を明確にしている従業員に対する執拗な退職勧奨を違法とした判例があります（最判昭和55年7月10日労判345号20頁、東京地判平成23年10月31日労判1041号20頁）。

　退職勧奨をする場合には、感情的にならず、事前に用意したシナリオ等に基づき冷静に行うことが重要です。

2 退職勧奨に関して参考になる判例

① 「自主退職しなければ、懲戒解雇されるものと信じ、懲戒解雇による退職金の不支給、再就職への悪影響といった不利益を避けるために、本件退職意思表示をしたもの認められる。……退職意思表示の動機は、懲戒解雇を避けるためであることを黙示的に表示したものと認められる。……退職意思表示には要素の錯誤が認められる」ので、退職の意思表示は無効（東京地判平成23年3月30日労判1028号5頁）。

② 退職願を提出したのは、体調不良が私傷病によるものであると誤信していたからであり、実際には業務上の原因で疾病を発症していたのであるから、要素の錯誤があり退職の意思表示は無効（東京高判平成24年10月18日労判1065号24頁）。

③ 解雇予告通知を受けた従業員が、退職に伴う手続をとっただけでは、雇用契約解約の申込みや辞職の意思表示をしたとは認められない（東京地判平成25年2月22日労判1080号83頁）。

④ 「いつまでしがみつくつもりなのかな。辞めていただくのが筋です」と強く直接的な表現を用い、また、「懲戒免職とかになった方がいいんですか」などと懲戒免職の可能性を示唆した場合、退職勧奨は違法（東京高判平成24年11月29日労判1074号88頁）。

⑤ 言葉を荒げたり、高圧的な態度を伴うものでなくても、一方的に非があると決めつけ、性格や感覚等を批判し、「信頼関係ゼロ」、「職員としてふさわしくない」などとするのは、社会的相当性を逸脱する違法な退職勧奨である（名古屋高判平成30年9月13日労判1202号138頁）。

⑥ 退職勧奨は、説得の要素を伴うものであって、いったん退職

に応じない旨を示した従業員に対しても説得を続けること自体は直ちに禁止されるものではなく、その際、使用者から見た当該従業員の能力に対する評価や、引き続き在職した場合の処遇の見通し等について言及することは、それが当該従業員にとって好ましくないものであったとしても、直ちには退職勧奨の違法性を基礎付けるものではないが、殊更に困惑させる発言をしたりすることで、退職以外の選択肢についていわば八方塞がりの状況にあるかのような印象を、現実以上に抱かせるものであったり、従業員の自尊心をことさら傷付け困惑させる言動に及んでいる場合には違法である（横浜地判令和2年3月24日労働法律旬報 1963 号 67 頁）。

VI
退職金

 退職金について基本的なルールを教えてください。

解説

1 退職金支払義務の有無

会社は、退職金の支払義務を当然に負うものではありません。会社が退職金の支払義務を負うのは、①就業規則、労働協約、労働契約に退職金の支払いを定めている場合、②退職金の支給が労使慣行になっていると認められる場合のいずれかです。

したがって、就業規則、労働協約、労働契約で退職金支給の定めが存在せず、かつ、退職金の支給が労使慣行になっていない場合には、退職金を支給する必要はありません。

2 退職金支給の労使慣行

過去に退職した従業員に対して退職金名目の金銭が支払われた実績があったというだけで、退職金を支給する労使慣行があったと認められるわけではありません。退職金支給の労使慣行が成立するためには、①一定の基準による退職金の支給が労使にとって規範として意識されていること、②当該基準によって退職金額を算定できることが必要です。

たとえば、従来から一定の年数以上勤務した従業員に対してほぼ

例外なく退職金が支払われてきており、その額も客観的で明確な基準に準拠して決定されていたと認められる場合には、退職金支給の労使慣行があったと認められる可能性がありますが、過去に多数の従業員に退職金を支払った実績が認められたとしても、支給額に何らの規則性もみいだせず、会社がその裁量によって個々の従業員に対する支給額を決定していたのであれば、退職金の支給の労使慣行を認めることは困難です。また、内規等に基づき支給してきた実績があれば退職金支給の労使慣行が認められることがあります（東京地判平成7年6月12日労判676号15頁、東京高判平成18年7月19日労判922号87頁）。

3　退職金の支給に関するルール

　会社が従業員に対して退職金の支払義務を負う場合、その退職金は労働基準法24条の「賃金」に該当しますので、賃金の支払いに関する各原則（第3章Q5を参照してください）が適用されます（最判昭和43年5月28日判時519号89頁）。

　そのため、従業員が退職金請求権を第三者に譲渡し、会社にその旨通知した場合であっても、会社は従業員本人に退職金を支払わなければなりません（直接払いの原則、最判昭和43年3月12日民集22巻3号562頁）。

　また、従業員に対して債権を有している場合であっても、会社の一方的意思表示によって退職金債権と相殺することはできません（全額払いの原則）。もっとも、①過半数組合等との労使協定を締結した場合（労働基準法24条1項ただし書）、または、②従業員の同意がある場合には、例外的に相殺が認められます（もっとも、①の場合は、相殺できるのは退職金の4分の1に限定されます〔民事執行法152条2項〕）。

Q10 自己都合退職か会社都合退職かで退職金の額に差を設けることは可能ですか。自己都合退職か会社都合退職かはどのように区別するのですか。

解説

1 自己都合退職と会社都合退職で差異を設けることの可否

　退職金の支給要件や支給基準は、その内容が強行法規に反する場合や明らかに不合理な場合でない限り（労働契約法7条）、会社が自由に決めることができます。

　したがって、自己都合退職か会社都合退職かで、退職金の額に差を設けることは可能です。

2 自己都合退職と会社都合退職をどのように区別するか？

　会社都合とは、従業員が退職に至った主たる原因が会社側の事情にある場合を意味します。会社都合かどうかは、退職が、解雇によるものか、従業員からの申出によるものかという形式的な理由に加えて、解雇や合意退職に至った事情を総合して判断されます。形式的には、自主退職であっても、違法な退職強要に該当するような退職勧奨があった場合には、会社都合であると認定されます。

　もっとも、自己都合退職か会社都合退職かの判断は微妙で、懲戒解雇の代わりに退職勧奨をした事案において会社都合であると認定した判例（大阪地判平成19年6月15日労判957号78頁）、能力が低い従業員に対して退職勧奨をしたところこれに応じて自主退職した場合に、退職強要とまではいえないことから自己都合であると認定した判例（東京地判平成20年3月28日労経速2015号31頁）等が参考になります。

> **Q11** 懲戒解雇の場合に退職金を不支給とすることは可能ですか。また、退職金の不支給条項を規定する場合に注意すべき点はありますか。

解説

　懲戒解雇の場合に退職金を不支給・減額とする就業規則等の規定（退職金不支給・減額条項）は有効です（最判昭和52年8月9日労経速958号25頁）。

　しかし、上記の退職金不支給・減額条項がある場合であっても、懲戒解雇の場合に常に当該規定の適用が認められるわけではありません。当該規定を適用して退職金の全部または一部を不支給とすることが認められるのは、従業員に、勤労の功を抹消ないし減殺してしまうほどの著しく信義に反する行為があった場合に限られます（名古屋高判平成2年8月31日高民集43巻2号125頁）。

　以上に対して、退職金不支給条項が存在しない場合には、従業員による退職金請求に応じなければなりません。

第11章

労働災害

I
労働災害に関する一般的知識

> **Q1** 従業員が工事現場でけがをして死亡しました。どのように対応すればよいですか。従業員が自殺した場合はどうですか。

解説

1 従業員が工事現場でけがをした場合

(1) 死傷病報告書の提出

　従業員が工事現場でけがをした場合、通常は業務災害（業務に起因する災害）に該当します。従業員が業務災害によって死亡しあるいは休業（4日以上）を余儀なくされた場合、会社は死傷病報告書を所轄の労働基準監督署長に提出しなければなりません。また、業務災害に該当しない場合であっても、就業中あるいは会社内での負傷・窒息・急性中毒によって死亡しあるいは休業を余儀なくされた場合には、死傷病報告書を所轄の労働基準監督署長に提出しなければなりません（労働安全衛生規則97条）。

　死傷病報告書は、災害発生後すみやかに（1週間から2週間以内程度）提出してください。遅滞した場合、労働基準監督署から遅延理由の報告書の提出を求められることがあります。

　死傷病報告書を提出しなかった場合（いわゆる労災隠し）あるいは虚偽の報告をした場合、刑事罰を科せられることがあります（労働安全衛生規則97条、労働安全衛生法100条、120条5号）。実際、毎

年複数の会社が労災隠しで書類送検（事件として検察官に送致すること）されています。

(2) 労災保険給付の申請

業務上災害の場合、労災保険給付を受けることができます。労災保険給付については、Q2を参照してください。なお、業務上災害の場合には、健康保険を使うことはできません。従業員に対して間違った説明をしないように注意してください。

2 従業員が自殺した場合

従業員が自殺した場合、業務上災害に該当すると会社が判断できるまでには一定の調査が必要です。この調査は、通常は、自殺した従業員の遺族からの要請に基づき行います。したがって、自殺直後に会社が進んで死傷病報告書の提出や労災保険給付の申請を行うケースはほとんどないと思います。

また、就業規則で弔慰金規定がある場合には、それに従い遺族に弔慰金を支払う必要があります。

自殺した従業員の遺族から、「業務上の災害ではないか。調査してほしい」と要求された場合には、誠実に対応し、きちんと調査してください。何の調査もせずに、「仕事が原因ではありません」とか、「それほど残業は多くありませんでした」などと安易に回答してしまうと、遺族の感情を逆なでしてしまい、後々まで遺恨を残すことがあります。「きちんと調査し、結果は改めてご報告申し上げます」などと回答してください。

調査対象は、「心理的負荷による精神障害の認定基準」（令和2年5月29日基発0529第1号）の「特別な出来事」あるいは「心理的負荷の原因となる出来事」に該当する事実の有無です（Q6を参照し

てください)。

従業員が自殺した場合に会社が調査すべき事項

調査事項	調査方法
直近の病状、様子	同じ職場の上司・同僚に対するヒアリング
直近1年間の残業時間、休暇の取得状況	タイムカード等の客観的資料
人事処分の有無、その他従業員のストレスになりそうな出来事の有無	同じ職場の上司・同僚に対するヒアリング

　調査は、公平かつ正確に行ってください。自己申告により時間管理を行っている場合には、従業員の申告と実際の労働時間が一致しない可能性があります。タイムカードやパソコンのログイン・ログオフ等を手がかりに客観的に正しい労働時間を調査してください。後日に労働基準監督署の調査が入った場合、会社の調査結果と大きな差異が生じているとそれだけで不誠実な会社であるとの印象を与えてしまいます。

　調査が終わった場合、遺族に結果を説明してください。調査結果から業務起因性が認められると判断される場合（業務起因性の判断についてはQ6を参照してください）には、遺族に労災保険の申請をすすめるべきでしょう。

　また、遅滞なく死傷病報告書を提出してください。

II 労災保険

Q2 労災保険とはどのような制度ですか。

解説

　労災保険（労働者災害補償保険）とは労災保険法に基づく制度で、業務中や通勤の際のケガや病気等に対して国が保険給付を行う制度です。

　本来は、業務上災害については、会社がその責任（労災補償）を負う義務を負いますが、会社がきちんとその責任を果たせない場合もあることから、迅速・公平な保護を与えるために労災保険制度が存在します。労災保険の給付は事業主が納付する保険料を主な財源としていて、労災保険に関する事務は各都道府県の労働局や労働基準監督署が取り扱っています。

　労災保険給付の内容や手続については、厚生労働省のホームページで解説がなされていますので参照してください。不明な点は、管轄の労働基準監督署や労働局に問い合わせをすると親切に教えてもらえます。

Ⅲ 過労死

Q3 過労死が発生しました。会社はどのような責任を負う可能性がありますか。

解説

1 過労死とは？

　過労死とは、過重労働に起因して従業員が精神疾患にり患し自殺したり、脳・心臓疾患にり患して死亡したりすることをいいます。

　過労死が発生した場合、会社は、民事損害賠償責任を負うだけではなく、労働基準監督署の立入り検査を受け、場合によっては、違法な時間外労働を理由に刑事責任を負うことがあります。

2 民事損害賠償責任

　会社は、業務の遂行に伴う疲労や心理的負荷等が過度に蓄積して従業員の心身の健康を損なうことがないように注意する義務（安全配慮義務）を負っています（最判平成12年3月24日民集54巻3号1155頁）。過労死が発生した場合、会社は、安全配慮義務違反を理由に民事損害賠償責任を負います。

　損害賠償額は、死亡した従業員の年齢や所得によって異なりますが、数千万円、事案によっては1億円を超えることがあります（第8章Q8を参照してください）。

3 刑事責任等

過労死の原因として最も多いのは過重労働です。過重労働のなかには、会社が従業員に対して違法な時間外労働を強いている事案が少なくありません。悪質な事案については、会社や役員が書類送検され、刑事処分を受ける場合もあります（時間外労働に関する労働基準法32条違反等）。

また、過労死が発生した企業は、労働局から、社長の呼び出し、企業名の公表等の措置がなされることがあります（「違法な長時間労働や過労死等が複数の事業場で認められた企業の経営トップに対する都道府県労働局長等による指導の実施及び企業名の公表について」〔平成31年4月1日基発0401第17号〕）。

実際に書類送検された事案の例

違法な時間外労働（労働基準法32条違反）
労働基準監督官の臨検監督の際に虚偽の記載をした日報を提出（労働基準法120条違反）
労働時間について虚偽の報告をした（労働基準法104条の2違反）

Q4 従業員の過労死を防止するための会社の安全配慮義務の具体的内容として判例ではどのような義務が認定されていますか。

解説

　会社は、業務の遂行に伴う疲労や心理的負荷等が過度に蓄積して従業員の心身の健康を損なうことがないように注意する義務（安全配慮義務）を負っています（労働契約法5条、最判平成12年3月24日民集54巻3号1155頁）。

　この安全配慮義務の具体的内容として、判例が認定したものとしては、以下のようなものがあります。

判例が認めた具体的な安全配慮義務の内容

① 労働時間、労働状況および職場環境（パワハラの有無）を把握すべき義務
② 長時間または過酷な労働とならないように配慮すべき義務
③ 労働時間、休憩時間、休日、休憩場所等について適正な労働条件を確保する義務、労働環境を整備すべき義務
④ 異動を説得するに際して、異動に対して有する不安や疑問を取り除くように努める義務
⑤ 健康状態を把握すべき義務
⑥ 健康状態に応じて、従事する作業時間および内容の軽減、就労場所の変更、カウンセリングを受けさせるなど適切な措置をとるべき義務
⑦ 健康状態がさらに悪化することを防止する義務
⑧ 必要な人員を配置し、心理的負担を軽減させるような職務分担の見直しを図るべき義務

Q5 過労死を原因として提起される訴訟にはどのようなものがありますか。また、訴訟類型ごとにどのような違いがありますか。

解説

過労死を原因として提起される訴訟には、遺族が会社（あるいは役職員）を被告として安全配慮義務違反に基づく民事損害賠償請求をする訴訟と、国を被告として労働基準監督署長のなした遺族補償給付の不支給処分の取消しを求める訴訟があります。

前者は一般の損害賠償請求訴訟（民事訴訟）と異なるところはありません。これに対して、後者は、遺族から従業員の死亡が業務上災害であるとして遺族補償給付の申請がなされたものの、労働基準監督署長が業務災害ではないと判断して遺族補償給付をしない旨の決定（行政処分）をした場合に、その決定の取消しを求める行政訴訟です。

どちらの訴訟を選択するかは、両訴訟の違いを勘案して、遺族が自由に決めることができます。両訴訟の主な違いは以下のとおりです。

民事損害賠償請求と遺族補償給付不支給処分取消請求の違い

	民事損害賠償請求	遺族補償給付等不支給処分取消請求
被告	会社	国
会社の過失の要否	過失必要	過失不要
慰謝料について	賠償責任あり	支給されない
過失相殺	ありうる	ない

Q6
過労死が業務に起因するかどうか（業務起因性）はどのように判断すればよいですか。「心理的負荷による精神障害の認定基準」の使い方を教えてください。

解説

1 業務起因性の判断基準

訴訟の形態にかかわらず（訴訟の形態については、Q5を参照してください）、過労死に関する訴訟における主たる争点は、「業務に起因して過労死が生じたと認められるかどうか（業務起因性の有無）」です。

裁判実務では、業務起因性の有無は、行政の策定した基準、具体的には、「脳血管疾患及び虚血性心疾患等（負傷に起因するものを除く。）の認定基準について」（令和2年8月21日基発0821第3号）と「心理的負荷による精神障害の認定基準」（令和2年5月29日基発0529第1号、以下本設問では「認定基準」といいます）に大きく依拠しています。

認定基準は、うつ病等の精神疾患や脳・心臓疾患が過重労働（過重労働によるストレス）に起因して発症するという医学的知見に着目し、それらの病気の発症の原因となる出来事とそのストレスの程度等を具体的にまとめたものです。

2 「心理的負荷による精神障害の認定基準」の使い方

認定基準は、使い方を知っておくと便利です。

まず、認定基準は、心理的負荷の原因として、①「特別な出来事」と、②「特別な出来事以外」に分けています。このうち、「特別な出来事」については、その出来事が1つでもあれば業務起因性

が肯定されます。「特別な出来事以外」については、各出来事による心理的負荷の強度を「小」、「中」、「大」の3つに分け、「大」の出来事があれば業務起因性が肯定されます。また、「大」の出来事がなくても、「中」の出来事が2つ以上あれば業務起因性が肯定されます（「中＋中＝強」）。

たとえば、「発病直前の1か月におおむね160時間を超えるような、又はこれに満たない期間にこれと同程度の（例えば3週間におおむね120時間以上の）時間外労働を行った」という出来事は、「特別な出来事」とされていますので、この出来事が1つでもあれば業務起因性が肯定されます。また、「1か月80時間以上の時間外労働」という出来事は心理的負荷の強度が「中」ですので、それ1つだけでは業務起因性は肯定されませんが、これに加えて、「達成困難なノルマが課された」という出来事（心理的負荷の強度が「中」）が認められる場合、「中＋中＝強」となり業務起因性が肯定されるというわけです。

以下、参考までに、認定基準に定められた心理的負荷の要因となる出来事を記載します。

特別な出来事（「強」）

長時間労働に関する出来事	□直前1か月におおむね160時間を超えるような長時間労働あるいはこれと同程度（3週間におおむね120時間以上）の長時間労働を行った
違法・不当な行為に関する出来事	□強姦、強制わいせつを受けた

心理的負荷が「中」以上の出来事

長時間労働に関する出来事	☐1か月80時間以上の時間外労働(「中」) ☐仕事時間が20時間以上増加した結果時間外労働時間が45時間以上(「中」) ☐12日間以上にわたって連続勤務を行った(「中」)
違法・不当な行為に関する出来事	☐上司等のトラブル（上司からの強い叱責、方針の違い)、同僚のトラブル(「中」) ☐セクハラを受けた(「中」) 　➡性的な言動のみのセクハラについて、会社が迅速かつ適切に対応しなかったことにより、「中」が「強」になる ☐上司等のひどいいじめや嫌がらせ(「強」) ☐上司等から身体的・精神的攻撃等のパワハラを受けた(「強」)
人事上の措置に関する出来事	☐事故・事件について責任を問われた(「中」) ☐業務に関して違法行為を強要された(「中」) ☐仕事で多額の損失が生じた(「中」) ☐仕事内容、仕事量の大きな変更を生じさせる出来事があった(「中」) ☐達成困難なノルマが課された(「中」) ☐ノルマが達成できなかった(「中」) ☐転勤・配置転換・新規事業の担当(「中」) ☐顧客からのクレーム(「中」) ☐退職勧奨された(「中」) ☐昇進・昇格(「中」) ☐仕事上のミスをした(「中」。ミスの態様次第で「強」)

Ⅲ 過労死

Q7 精神疾患に起因する自殺の業務起因性に関する判例の傾向を教えてください。

解説

　判例はおおむね、厚生労働省が策定した「心理的負荷による精神障害の認定基準」（以下、本設問では「認定基準」といいます）（令和2年5月29日基発0529第1号）に依拠して業務起因性を判断していますが、場合によっては、認定基準を緩和して適用する場合もあります。特に、高等裁判所においては、認定基準を緩和して適用する傾向があると思います。

　判例の傾向としては、80時間以上の長時間労働が認められる場合に、業務起因性を認める傾向があります。認定基準では「80時間以上の長時間労働」の心理的負荷は「中」であり、それだけでは業務起因性が認められませんが（Q6を参照してください）、従業員が自殺している事案の場合には、その他に心理的負担が「中」の出来事が1つぐらい認められることが多く、「中＋中＝強」になっている場合が多いようです。

　以下、近時の判例で業務起因性を認めた判例をいくつか紹介します。

過労死（自殺）に業務起因性を認めた近時の判例

東京高判平成29年2月23日労判1158号59頁	精神疾患の発症前3か月において、およそ1か月あたり60時間程度の時間外労働が認められ、加えて、業務上の相当の心理的負荷が認められる事案で業務起因性を肯定

福岡高判平成29年1月18日労判1156号71頁	パワハラと精神疾患の業務起因性を肯定
東京高判平成28年9月1日労判1151号27頁	時間外労働時間について、精神疾患の発病時期前1か月から3か月前までは平均して70時間程度であるが、4か月から6か月前までは80時間を超えており、それ以前において約5か月にわたり120時間を超えていたこと等が認められる事案で業務起因性を肯定
福岡高判平成28年11月10日労判1151号5頁	発症前1か月の時間外労働が114時間であることと担当業務が相当に責任の重い業務であることを理由に業務起因性を肯定
名古屋高判平成28年4月21日労判1140号5頁	過重な時間外労働は認められないものの、業務上の事故が大きな心理的な負荷になったことを理由に業務起因性を肯定
広島高判平成27年10月22日労判1131号5頁	パワハラと精神疾患の業務起因性を肯定
大阪高判平成27年9月25日労判1126号33頁	発症前10か月は1か月あたり45時間超程度であっても、それより前により過重な業務に従事していたとして業務起因性を肯定
東京高判平成27年2月26日労判1117号5頁	1か月平均30時間程度の時間外労働しか認められない場合に業務起因性を否定

Q8 過労死を防止するために、どのような方策を講じるべきですか。

解説

1 過労死を防止するために必要なこと

過労死を防止するためには、過労死の原因となる出来事の発生を防止すること、および過労死の徴候の有無(従業員の健康状態)を把握し、問題が生じている場合に適切に対応することが必要です。

2 過労死の原因となる出来事の発生を防止する

過労死事案は、過労が原因で精神疾患にり患して自殺する事案と過労が原因で脳・心臓疾患にり患して死亡する事案があります。

いずれの事案についても、過労死の原因となりうる出来事としては、①長時間労働に関する出来事、②違法・不当な行為(ハラスメント)に関する出来事、③人事上の措置に関する出来事の3つがあります(Q6を参照してください)。このうち、③人事上の措置は、業務上の必要性がある限り、実施せざるをえません。したがって、過労死を防止するためには、①長時間労働に関する出来事および②違法・不当な行為に関する出来事の発生を予防することが重要となります。

①長時間労働に関する出来事の発生を予防する方策についてはQ9を、③違法・不当な行為(ハラスメント)に関する出来事の発生を予防する方策については第8章Q4を参照してください。

3 過労死の徴候の有無(従業員の健康状態)を把握し、問題が生じている場合に適切に対応する義務

従業員の健康状態を把握するための方策については、労働安全衛

生法において具体的な義務が定められています（下記参照）。

また、メンタルヘルスに関して会社のなすべき健康管理等について、最高裁（最判平成26年3月24日裁判集民246号89頁）は、次のように述べています。

「精神的健康（いわゆるメンタルヘルス）に関する情報は、（中略）労働者にとって、自己のプライバシーに属する情報であり、人事考課等に影響し得る事柄として通常は職場において知られることなく就労を継続しようとすることが想定される性質の情報であったといえる。使用者は、必ずしも労働者からの申告がなくても、その健康に関わる労働環境等に十分な注意を払うべき安全配慮義務を負っているところ、（中略）労働者にとって過重な業務が続く中でその体調の悪化が看取される場合には、上記のような情報については労働者本人からの積極的な申告が期待し難いことを前提とした上で、必要に応じてその業務を軽減するなど労働者の心身の健康への配慮に努める必要があるものというべきである。」

労働安全衛生法において規定された主な義務の内容

> ① 長時間労働者に対する面接と是正措置を講ずべき義務
> 　長時間労働（1か月80時間超の時間外労働）により疲労が蓄積した労働者に対して、医師による面接指導を行う義務を負う（労働安全衛生規則66条の8、52条の2〜52条の8、ただし、面接をする義務があるのは労働者の申出がある場合（労働安全衛生規則52条の3第1項））。
> ② ストレスチェックと是正措置を講ずべき義務
> 　心理的な負荷を把握するための検査（ストレスチェック）を行いその結果を労働者に通知する義務並びにその結果に応じて面接指導を行う義務を負う（労働安全衛生規則66条の10）。
> ③ 是正措置を講ずべき義務

上記の面接やストレスチェックの結果、必要に応じて、労働者の実情を考慮して、就業場所の変更、作業の転換、労働時間の短縮、深夜業の回数の減少等の措置など適切な措置を講ずる義務を負う（労働安全衛生規則66条の8第5項、66条の9、66条の10第6項）。

Q9 「長時間労働に関する出来事」の発生を防止するための方策について教えてください。

解説

1 法律を守る

長時間労働に関しては労働基準法において厳格な制限が課せられていますので、これを遵守することが何より重要です（第3章Q1参照）。

また、労働安全衛生法において、①衛生委員会を設置し、長時間労働による健康障害の防止を図るための対策および精神的健康の保持増進を図るための対策の樹立に関する義務（労働安全衛生法18条1項4号、労働安全衛生規則22条9号および10号）、②時間外労働時間について毎月1回以上、一定の期日を決めて算定する義務（労働安全衛生規則52条の2第2項）、③労働時間の状況を把握する義務（労働安全衛生法66条の8の3）が課せられています。

2 「労働時間の状況を把握する義務」

上記1で述べた会社の遵守事項のうち最も重要なのは、「労働時間の状況を把握する義務」（労働安全衛生法66条の8の3）です。

(1) 「労働時間の状況」

「労働時間の状況」とは「労働者がいかなる時間帯にどの程度の時間、労務を提供し得る状態にあったか」の意味であり（平成31年3月29日基発0329第2号〔以下本設問では「安衛法解釈通達」という〕第2の答9）、また、「労働時間の状況」を把握しなければならない対象労働者は、管理監督者や裁量労働制の適用対象者も含め、

高度プロフェッショナル制度（労働基準法41条の2）を除く全労働者が含まれます（安衛法解釈通達第2の答11）。「労働時間の状況を把握する義務」は労働者の健康状態把握のために会社に課せられた義務です。そのため、賃金の支払いを目的とする労働基準法上の労働時間の把握義務とは異なり、時間外労働手当の支払対象者ではない労働者についてもその対象になります。

(2) 労働時間の状況の把握

「労働時間の状況の把握」は、原則として、「タイムカード、パーソナルコンピュータ等の電子計算機の使用時間（ログインからログアウトまでの時間）の記録、事業者（事業者から労働時間の状況を管理する権限を委譲された者を含む。）の現認等の客観的な記録により、労働者の労働日ごとの出退勤時刻や入退室時刻等」を把握しなければなりません（労働安全衛生規則52条の7の3第1項、安衛法解釈通達第1の答9）。

例外的に、「やむを得ず客観的な方法により把握し難い場合」においては、「その他の適切な方法」として「労働者の自己申告」による把握がありますが（安衛法解釈通達第2の答12）、「労働者の自己申告」による場合には、①労働者に対して労働時間の状況の実態を正しく記録し、適正に自己申告を行うことなどについて十分な説明を行うこと、②必要に応じて実態調査を実施し、所要の労働時間の状況の補正をすること、③労働者が自己申告できる労働時間の状況に上限を設け、上限を超える申告を認めないなど、労働者による労働時間の状況の適正な申告を阻害する措置を講じてはならないことなどに注意しなければなりません（安衛法解釈通達第2の答12）。

「労働時間の状況」についてはその記録を作成し、3年間保存することが義務とされています（労働安全衛生規則52条の7の3第2項）。

3 長時間労働者に対する措置

　長時間労働者（1月当たり80時間超の時間外労働を行った者）に対し、労働時間の状況に関する情報を通知する（労働安全衛生規則52の2条第3項）とともに、医師（産業医等）による面接指導を行わなければなりません。もっとも、行政庁の策定した認定基準からすると1か月80時間超の労働者の面接指導だけでは必ずしも十分ではないと思われますので、たとえば、下記のように時間外労働時間の程度に応じたきめ細やかな対応策を講ずるのが望ましいと考えます。

　また、上記の面接の結果、必要に応じて、労働者の実情を考慮して、就業場所の変更、作業の転換、労働時間の短縮、深夜業の回数の減少等の措置など適切な措置を講ずる義務を負います（労働安全衛生法66条の8第5項、66条の9、66条の10第6項）。

時間外労働時間の程度に応じた段階的な対応策の一案

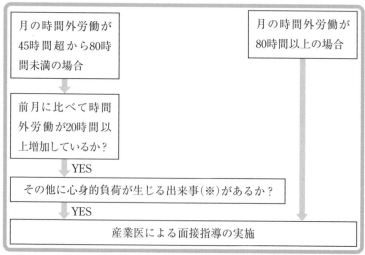

※Q6の認定基準心理的負荷の程度が「中」の出来事

Ⅲ 過労死 329

労働時間の把握と対応のフローチャートの例

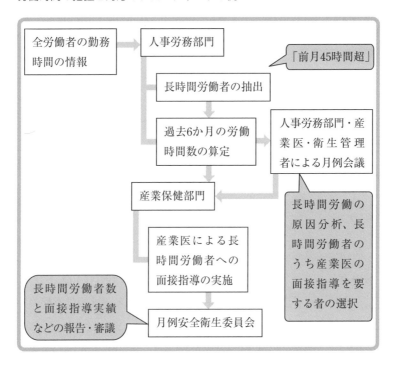

Q10
業務上災害で休業している従業員に対しては、賃金を支払わなければなりませんか。また、休業が長期間に及んだ場合に、解雇をすることはできますか。

解説

1 業務上災害により休業中の従業員に対する賃金

業務上災害により休業中の従業員に対しては、①療養補償（労働基準法75条）および休業補償（平均賃金の60％・同法76条）を給付しなければなりません。この補償は、通常は労災保険給付によって支給されます（労災補償については、Q2を参照してください）。

問題は、賃金と休業補償給付の差額（平均賃金の40％）の支払義務の有無です。判例（東京高判平成23年2月23日労判1022号5頁）は、会社に帰責事由がある業務上の疾病等による労務提供不能の場合に、賃金全額の支払義務を認めています。

よって、業務上の災害で従業員が休業し、会社に帰責事由が認められる場合には、会社は賃金全額（休業補償を受けている場合にはそれを控除した額）を支払わなければなりません。

2 業務上災害により休業中の従業員の解雇

休業期間中およびその後30日は解雇することができません（労働基準法19条1項）。普通解雇だけではなく、懲戒解雇もできません（福岡地小倉支判昭和31年9月13日労民集7巻6号1048頁）。

しかし、以下のような場合には、例外的に解雇が認められます。

(1) 症状固定後30日が経過した場合

「療養」とは、症状固定後（それ以上回復が見込めなく、後遺症が

残った状態）の通院等は含まれません。したがって、症状固定後に職場復帰できないことを理由に普通解雇をすることは可能です（名古屋地判平成2年4月27日労判576号62頁）。もっとも、症状固定の判断は微妙な場合が少なくありませんので、この場合の解雇は慎重に行うべきでしょう。また、症状固定後に解雇した場合、従業員は障害補償年金を受給することができますし、業務上災害に会社に故意・過失がある場合、会社は後遺症逸失利益（障害補償年金を受給している場合は差額）の損害賠償義務を負います。

(2) 治癒した後30日が経過した場合

業務上災害による疾病が治癒しているにもかかわらず、出社しない従業員に対しては、普通解雇をすることができます（大阪地判平成24年2月15日労判1048号105頁。なお、治癒した後の通常勤務命令違反が懲戒解雇の事由に該当するとした判例として東京地判平成2年12月5日労判575号31頁）があります。

(3) 労働基準法81条の打切補償の場合

療養開始後3年間を経過しても傷病が治らない場合には、平均賃金の1200日分（打切補償といいます）を支払うことによって、以降、療養補償および休業補償の支払いを行わなくてもよいことになりますし（労働基準法81条）、それ以降は、普通解雇をすることが可能（上記の解雇制限が解除されるという意味）になります。

なお、療養補償の代わりに労災保険法による療養補償給付を受ける従業員についても、会社は労働基準法81条所定の打切補償の支払いをすることにより、普通解雇をすることが可能になります（最判平成27年6月8日民集69巻4号1047頁）。

3 普通解雇の有効要件の充足

打切補償をした場合に普通解雇が可能になるといっても、それは、労働基準法19条1項の解雇制限が解除されるだけで、普通解雇が有効となるためには、別途、労働契約法16条の普通解雇一般の有効要件を充足する必要があります（普通解雇の要件については第6章Q2を参照してください）。

この点、打切補償の要件を充足している場合には、特段の事情がない限り、普通解雇の一般的要件を満たすという判例（東京高判平成28年9月12日労判1147号50頁、東京高判平成22年9月16日判タ1347号153頁）もありますが、業務上傷病の発生の経緯、傷病の態様、療養中の状況から、普通解雇の効力が否定される場合もありえますので、慎重な検討が必要です。

東京高判平成28年9月12日

> 一般に、労働者の労務提供の不能や労働能力の喪失が認められる場合には、解雇には、客観的に合理的な理由が認められ、特段の事情がない限り、社会通念上も相当と認められるというべきである。業務上の疾病による労務不提供は自己の責めに帰すべき事由による債務不履行とはいえないことから、例外として解雇を制限するが、その場合であっても、労働基準法81条の要件を満たし、同条による打切補償がされたときは、解雇までの間において業務上の疾病の回復のための配慮を全く欠いていたというような特段の事情がない限り、当該解雇は社会通念上も相当と認められるものと解するのが相当である。

第12章

多様な労働契約

I
偽装請負

Q1 他社に自社の事業場における業務処理を委託する場合に注意することはありますか。また、業務委託先の従業員に対して会社が労務上の義務を負うことはありますか。

解説

1 偽装請負

　他の会社（請負会社）に一定の業務の処理を発注し、この業務の遂行のために、請負会社の従業員が自社の事業場において業務をすることがあります。このような業務処理を発注する場合に重要なことは、請負会社の従業員の指揮命令は、雇用主である請負会社が行わなければならないということです。

　これに反して、発注会社が、請負会社の従業員に対して直接に指揮命令を行うことは、違法な労働者派遣・労働者の供給に該当し、いわゆる「偽装請負」に該当する可能性があります。たとえば、工事現場に請負会社側の責任者を置いても、実際に指揮命令しているのが発注会社であれば、やはり偽装請負になる可能性があります。偽装請負の場合、労働者派遣法違反として、派遣元に対しては罰則、派遣先に対しては行政指導や勧告の対象となります。

　したがって、他社に自社の事業場における業務処理を委託する場合、他社に委託する業務に関しては、①自社から独立させて遂行させること、②他社の従業員に対して直接指揮命令を行わないことの

2点に注意してください。

なお、詳細は、「労働者派遣事業と請負により行われる事業との区分に関する基準」（昭和61年4月17日労働省告示第37号〔最終改正：平成24年9月27日厚生労働省告示第518号〕）および厚労省策定の「労働者派遣・請負を適正に行うためのガイド」を参照してください。

2 業務委託先の従業員に対する労務上の義務

会社が業務委託先の従業員に対して労働契約上の義務を負うことは原則としてありません。

しかし、偽装請負の場合、発注会社（派遣先）が違法派遣であること知っていたかあるいは知らないことに過失があるときは、当該従業員が希望すれば、その者を直接雇用する責任を負います（労働者派遣法40条の6第1項5号）。

また、偽装請負の場合、発注会社は請負会社の従業員に対する直接の安全配慮義務を負いますので、たとえば、作業中に死傷事故が発生した場合には債務不履行または不法行為に基づく損害賠償責任を負います（東京地判平成20年2月13日労判955号13頁、なお、同様に、元請が下請の従業員に対する安全配慮義務を負う場合があることを認めた最判平成3年4月11日〔判時1391号3頁〕が参考になります）。

Ⅱ 有期雇用等

Q2 有期契約社員やパートタイム社員とはどのような社員のことをいうのですか。

解説

1 有期契約社員

有期契約社員とは、労働契約において契約期間が定められている社員のことです。

期間の定めのある労働契約の場合、原則として、契約期間の満了によって労働契約は自動的に終了し、契約期間を延長するには、契約の更新の合意をする必要があります。もっとも、契約の不更新が自由に認められるわけではなく契約を更新しない（雇止め）場合、一定の要件を充足する必要があります。

有期契約社員の労働条件については、労働契約法およびパートタイム・有期雇用労働法で特則が定められています。

2 パートタイム社員

パートタイム社員とは、1週間の所定労働時間が、同一の事業所に雇用されている正社員に比べて短い社員のことを指します。

実務ではさまざまな呼び名（パートタイマー、アルバイト、嘱託・臨時社員等）が用いられていますが、すべてパートタイム社員です。また、パートタイム社員も従業員であることに変わりはありません

ので、労働関係法が適用されます。

　パートタイム社員の労働条件については、パートタイム・有期雇用労働法で特則が定められています。

労働契約法における有期契約社員の特則

17条	契約期間中の解雇等の原則禁止
18条	期間の定めのない契約への転換（無期転換）
19条	雇止めが許されず更新される場合

パートタイム・有期雇用労働法で定められた特則（抜粋）

6条	労働条件の明示
8条	パートタイム・有期雇用であることによる不合理な労働条件の差異の禁止
9条	正社員と同視すべき場合の差別的取扱いの禁止
13条	正社員への転換を推進するための措置

　なお、有期契約社員やパートタイム社員についても、一定の要件を満たす場合には、会社は社会保険・雇用保険の加入義務を負います。

Q3
有期契約社員について契約の更新をせず、雇止めするつもりですが、何か問題はありますか。期間の途中で辞めてもらうことはできますか。

解説

1 雇止め

有期契約社員に対して期間満了とともに辞めてもらうことを雇止めといいます。

有期労働契約である以上、期間満了とともに雇用契約は終了し、雇止めは当然に有効になるはずですが、必ずしもそうではありません。

以下の①および②の場合には、契約期間が満了しても当然には契約は終了せず、雇止めが有効になるためには、「客観的に合理的な理由と社会的相当性」が必要とされます。

① 過去に反復して更新されて期間の定めのない労働契約と同視できる場合（労働契約法19条1号）
② 従業員において契約期間の更新がなされるであろうと期待することについて合理的な理由がある場合（労働契約法19条2号）

したがって、雇止めが有効となるためには、まず、上記①または②に該当するか否かを審査し（第一段階の審査）、上記①または②に該当する場合には、「客観的に合理的な理由と社会的相当性」の有無を審査（第二段階の審査）することになります。

雇止めの可否を検討する際の二段階審査

```
(i) 第一段階の審査
   期間の定めのない労働契約と同視できるか、
   または、契約期間の更新がなされるであろうと    ⇒ 雇止め有効
   期待することについて合理的な理由があるか      NO
         ↓ YES
(ii) 第二段階の審査
   雇止めについて客観的に合理的な理由と社会的    ⇒ 雇止め無効
   相当性があるか                                NO
         ↓ YES
   雇止め有効
```

2　第一段階の審査

　第一段階の審査は、「期間の定めのない労働契約と同視できる場合」（上記①）または「契約期間の更新がなされるであろうと期待することについて合理的な理由がある場合」（上記②）に該当するか否かの審査です。

(1)　「期間の定めのない労働契約と同視できる場合」（上記①）

　「期間の定めのない労働契約と同視できる場合」（上記①）とは、「有期契約というのは名ばかりで、実質的には期間のない契約と違いが認められないような場合」という意味です。たとえば、会社において恒常的な業務（臨時的ではない職務）を有期契約社員に担当させ、勤務状況も正社員と変わりがなく、さらに何度も更新を繰り返しているような場合が典型です。また、そのような場合、更新手続が形骸化しがちです。もっとも、「期間の定めのない労働契約と同視できる場合」に該当すると判断されるのは長期間にわたって更

新が繰り返されている特殊な事案だけで、実際にはそれほど多くはありません。

(2) 「契約期間の更新がなされるであろうと期待することについて合理的な理由がある場合」（上記②）

「契約期間の更新がなされるであろうと期待することについて合理的な理由がある場合」（上記②）とは、「従業員において、契約期間の更新がなされるだろうと期待を有しても仕方がない場合」という意味です。要件①に比べるとかなり要件が緩和されているといえます。たとえば、自動更新条項のもとで契約を複数回更新しているような場合が典型ですが、契約更新の回数はそれほど多くないような場合でも、社内の他の有期契約社員のほとんどが更新拒絶されずに契約更新を重ねている場合や、入社の際に、「年数を重ねれば給与が増えるのでがんばってくれ」などと説明をされた場合には、この要件を満たすと解されます。

訴訟に持ち込まれる雇止め事案のほとんどは、「契約期間の更新がなされるであろうと期待することについて合理的な理由がある場合」（上記②）に該当するか否かが主たる争点になっています。

この要件の存否は、以下に述べるような事情を総合的に考慮して、「従業員において、契約期間の更新がなされるだろうと期待を有しても仕方がないかどうか」という基準で判断します。

契約期間の更新についての合理的な期待の有無を検討する際の考慮要素

考慮される要素	どのように考慮されるか
業務の臨時性・常用性	会社にとって臨時的な業務を遂行するために雇用された場合は、臨時的な業務が完了すれば雇用も終了すると考えるのが通常であるため、契約更新について期待するのは合理的と

更新の回数、雇用の通算期間	何度も更新の回数を重ね、通算期間も長期間に及んでいる場合は、次もきっと更新されるものと期待するのは合理的である。
契約期間管理の状況	更新の際に特に審査を行わず、契約書も事後的に作成しているような場合には、契約更新手続は形だけのものであり、契約更新がなされることが当然の前提になっていると考えるのが合理的である。
雇用継続の期待を持たせる使用者の言動	使用者から雇用継続の期待を持たせる言動があれば、契約更新がなされるものと期待するのは合理的である。

(一行目冒頭: はいえない。)

3 第二段階の審査（客観的合理的理由と社会的相当性）

「期間の定めのない労働契約と同視できる場合」または「契約期間の更新がなされるであろうと期待することについて合理的な理由がある場合」には、雇止めについて、「客観的合理的理由と社会的相当性」の有無を審査することになります。

「期間の定めのない労働契約と同視できる場合」は、「客観的合理的理由と社会的相当性」について、普通解雇の場合と同様の厳格な基準で審査されます（第6章Q2を参照してください）。

これに対して、「契約期間の更新がなされるであろうと期待することについて合理的な理由がある場合」については、「客観的合理的理由と社会的相当性」について、普通解雇の場合よりも緩和した基準で審査されます。「緩和した基準」といっても、その内容は、「更新への期待」の内容や程度によって異なります。もちろん、「更新への期待」が高ければ高いほど厳格な基準で審査されることになります。換言すると、「当該従業員が有している更新への期待を保護

できなくても致し方ない程度の理由が会社にあるかどうか」という基準で判断されると理解するのがよいでしょう。

　たとえば、会社の業績が悪化して整理解雇をしなければならないような状況の場合、有期契約社員の更新への期待が相当に高い場合でも、更新の期待を保護できなくても致し方ない（雇止めは有効）ということになります。これに対して、従業員の能力不足を理由に雇止めをしようとしても、有期契約社員の更新への期待が相当に高い場合には、能力が著しく劣っているような場合でなければ、更新の期待を保護できなくても致し方ないということにはなりません（雇止めは無効）。

4　期間の途中での普通解雇

　期間を定めて契約をした場合、期間の途中で普通解雇するためには、「やむを得ない事由」が必要であり（労働契約法17条1項）、期間の定めのない労働契約よりさらに要件が厳格になります。

Q4 当社の有期契約社員に適用される就業規則には、「契約の更新をしない」という条項があります。契約どおりに更新拒絶をする場合に問題はありますか。また、契約更新の回数の上限を3回と定める規定がある場合はどうですか。

解説

1 不更新条項

「雇用契約の更新をしない」という不更新条項が有効かどうかを検討するにあたっては、更新に対する合理的期待が生じる前に合意した場合と合理的期待が生じた後に合意した場合とに分けて考える必要があります。

(1) 更新に対する合理的期待が生じる前に合意した場合

たとえば、最初の労働契約において「更新はしない」と合意し、その合意内容のとおりに契約を期間満了で終了させる場合には、雇止めが無効になることは通常はありません。更新に対する合理的期待が生じていないからです。この場合、雇止めについての客観的合理的理由と社会的相当性の有無は問題になりません。

更新に対する合理的期待が生じる前に合意した場合であっても、事後的に更新に対する合理的期待が生じる場合があります。実際には合意どおりに運用されていない実情がある場合（同じ雇用契約書を取り交わした他の従業員に対しては雇止めをせずに更新しているなど）や使用者から期間経過後も雇用を継続させる旨の言動があったような場合です。事後的に更新に対する合理的期待が生じた場合には、雇止めについての客観的合理的理由と社会的相当性の有無が問題になります（Q3を参照してください）。

したがって、有期契約社員との労働契約において不更新条項や更

新回数に制限を設ける場合には、最初の契約においてその旨明確に合意することだけでなく、その合意に反するような運用や言動をしないことが重要です。

判例も、おおむね上記のような判断枠組みで更新拒絶の有効性を判断していると解されます（最判平成 28 年 12 月 1 日裁判集民 254 号 21 頁、広島高判平成 31 年 4 月 18 日労判 1204 号 5 頁、京都地判平成 18 年 4 月 13 日労判 917 号 59 頁）。

(2)　更新に対する合理的期待が生じた後に合意した場合

更新に対する合理的期待が生じた後に合意した場合、当該合意によって、更新に対する合理的期待が消滅するはずですが、必ずしもそうではありません。従業員にとって不利益な内容の合意ですから、従業員が自由な意思に基づいて真に合意したかどうかが問題となり、不更新合意が無効であると判断される可能性があるのです。とりわけ、更新契約締結の際に、「更新は今回が最後とする」という内容の合意書を取り交わした場合には、その際に、「当該合意を受け入れなければ今回の更新をしてもらえないのではないか」という心理的な強制が働いていることが少なくないため、不更新合意は無効になる可能性があります（従業員にとって不利益な内容の合意の有効性に関しては第 5 章 Q2 を参照してください）。

Q5 最初の1年を有期雇用契約として、その間に従業員の能力や適性を評価しようと思いますが、何か問題はありますか。

解説

　雇用契約書において契約期間の定めをした場合であっても、実質には試用期間である場合、期間の満了とともに当然に契約を終了することができるか問題になります。

　この点、判例（最判平成2年6月5日民集44巻4号668頁）は、「使用者が労働者を新規に採用するに当たり、その雇用契約に期間を設けた場合において、その設けた趣旨・目的が労働者の適性を評価・判断するためのものであるときは、右期間の満了により右雇用契約が当然に終了する旨の明確な合意が当事者間に成立しているなどの特段の事情が認められる場合を除き、右期間は契約の存続期間ではなく、試用期間であると解するのが相当である」としています。

　そのため、問題は、「期間満了とともに契約が終了する旨の明確な合意」の有無ということになります。

　この点、雇用契約書に契約期間と期間満了とともに契約が終了する旨の条項が規定されていることは、「期間満了とともに契約が終了する旨の明確な合意」を認定する有力な証拠となりえますが、かかる条項があるからといって、必ずしも、「期間満了とともに契約が終了する旨の明確な合意」があると認定されるわけではありません。当該契約内容を事前にきちんと従業員に説明し、その同意のもとで有期雇用契約を締結すること、正社員として再雇用する際には、雇用契約書を改めて締結するという運用を徹底していること等の周辺事情を加味して認定がなされます。

　なお、近時、試用期間目的で有期雇用契約を締結した場合に関して、雇用契約書どおりに雇止めを認めた判例（最判平成28年12月1

日労判 1156 号 5 頁）が登場しており、今後の実務に影響を与えるものと思われます。

最判平成 28 年 12 月 1 日

> 　本件労働契約は、期間 1 年の有期労働契約として締結されたものであるところ、その内容となる本件規程には、契約期間の更新限度が 3 年であり、その満了時に労働契約を期間の定めのないものとすることができるのは、これを希望する契約職員の勤務成績を考慮して上告人が必要であると認めた場合である旨が明確に定められていたのであり、被上告人もこのことを十分に認識した上で本件労働契約を締結したものとみることができる。上記のような本件労働契約の定めに加え、被上告人が大学の教員として上告人に雇用された者であり、大学の教員の雇用については一般に流動性のあることが想定されていることや、上告人の運営する三つの大学において、3 年の更新限度期間の満了後に労働契約が期間の定めのないものとならなかった契約職員も複数に上っていたことに照らせば、本件労働契約が期間の定めのないものとなるか否かは、被上告人の勤務成績を考慮して行う上告人の判断に委ねられている

Q6 無期転換社員の労働条件について、有期雇用契約のときの労働条件を変更しても問題はありませんか。

解説

1 無期転換社員の労働条件の変更

　無期転換制度は、通算5年以上働いた有期契約社員が希望した場合に、無期契約社員に転換させる制度です。有期契約社員を無期労働契約者へと転換することを義務づける制度ですが、他の正社員同様に取り扱うことを義務づける制度ではありません。

　無期転換後の従業員の契約条件は、原則として（「別段の定め」をしない限り）、雇用期間の点を除いて有期労働契約時の労働条件と同じとなります（労働契約法18条1項）。例外として、就業規則や雇用契約書において、「別段の定め」を規定すれば、転換後の労働条件を有期労働契約の際の労働条件と異なる労働条件（有利な労働条件だけではなく、不利な労働条件も含みます）とすることができます（労働契約法18条1項）。

　そのため、有期労働契約時の労働条件と異なる労働条件を定める場合には、無期転換社員用の就業規則を作成し、「別段の定め」をするか（正社員と異なる労働条件とする場合）、無期転換社員にも正社員用の就業規則が適用されることを正社員用就業規則に明記する（正社員と同じ労働条件とする場合）必要があります（就業規則には最低基準効があるため、労働契約書で労働条件を定めるだけでは足りません。第5章Q2参照）。

2 労働条件の変更に制限はあるか？

　上記のとおり「別段の定め」をすれば、有期労働契約における労

働条件よりも従業員に不利益な内容の労働条件を定めることができますが、労働条件の設定に制限がまったくないわけではありません。一定の合理性が必要です（労働契約法7条）。この合理性は、就業規則の不利益変更において要求されるような高度の合理性（第5章Q4を参照してください）までは必要なく、就業規則を新設する場合に要求される程度の緩和された合理性で足ります。たとえば、有期労働契約において有期であることを理由に正社員よりも高い賃金設定であったのを正社員と同等のレベルに下げることや配転条項を追加するなどの変更は合理性が認められると解されます。

Q7 有期契約社員について、「更新は65歳までとし、65歳以上は更新しない」旨の労働契約の効力について教えてください。

解説

　有期契約の契約更新について、一定の年齢を基準として一律に雇止めをするということも、その年齢が不合理に低いものでない限り有効です。

　問題は年齢ですが、65歳であれば問題はないと考えます。判例（最判平成30年9月14日裁時1708号1頁）も、有期労働契約の更新の可否を個別に判断するのではなく、一定の年齢に達した場合には契約を更新しない旨をあらかじめ就業規則に定めておくことには相応の合理性がある等として、65歳を基準とする雇止めを有効としています。

　これに対して、65歳未満を上限とする定めは、高年齢者雇用安定法8条、9条1項（65歳までの雇用を確保する措置を講ずべきことを事業主に義務付ける）に抵触する可能性があると解されます。

Q8 有期契約社員の労働条件について正社員と相違を設けることについて問題はありますか。

解説

1 有期契約社員と正社員の労働条件の相違

　有期契約社員の労働条件について無期契約社員（正社員）の労働条件と相違を設けることができないわけではありませんが、パートタイム・有期雇用労働法8条および同法9条によって不合理な待遇差を設けることは禁止されています（均等待遇・均衡待遇）。

　均等待遇や均衡待遇が問題となるのは、①無期雇用フルタイム労働者とパートタイム労働者との間、②無期雇用フルタイム労働者と有期契約社員との間の待遇の相違です。そのため、たとえば、総合職、限定正社員など正社員間の待遇差や有期契約社員間の待遇差はパートタイム・有期雇用労働法8条および同法9条の規制対象ではありません。

2 パートタイム・有期雇用労働法9条による制約（均等待遇）

　職務内容と職務内容・配置の変更範囲が同じ場合に、短時間・有期労働者であることを理由に正社員との間で差別的取扱いをすることは禁止されています（パートタイム・有期雇用労働法9条、均等待遇）。

　差別的取扱いに該当する場合には、当該差別的な労働条件は無効となり、かつ、会社は不法行為に基づく損害賠償責任を負います。

　もっとも、本条が適用されるのは、職務内容と職務内容・配置の変更範囲が同じ場合だけですので、実務で本条が問題となることはあまりありません。この点、定年後再雇用の有期雇用労働者につい

ては、職務内容と職務内容・配置の変更範囲が同じにもかかわらず待遇差が設けられることが少なくありませんが、短時間・有期労働者であることを理由とするものではなく、定年後再雇用者であることを考慮して設けられた待遇の相違であるため、本条に抵触しないと解する見解が有力です。

3 パートタイム・有期雇用労働法8条による制約（均衡待遇）

パートタイム・有期雇用労働法8条は、職務の内容、当該職務の内容および配置の変更の範囲その他の事情を考慮して、不合理と認められる相違を設けてはならないという均衡待遇の規定です。正社員と短時間・有期労働者との間で、就業の実態等に違いがある場合に適用される規定であり、この点で、両者の就業の実態等が同一である場合に適用されるパートタイム・有期雇用労働法9条（均等待遇の規定）と異なります。

不合理な相違に該当する場合には、当該労働条件は無効となり、かつ、会社は不法行為に基づく損害賠償責任を負います。

どのような待遇差が禁止されるかの基準としては、「短時間・有期雇用労働者及び派遣労働者に対する不合理な待遇の禁止等に関する指針」（平成30年12月28日厚生労働省告示第430号。以下本章において「同一労働同一賃金ガイドライン」といいます）が参考になります（ガイドラインは法的効力を有するわけではありませんが、制度を見直す際の指針として参考になります）。

同一賃金同一労働ガイドラインの概要

1 基本給
(1) 労働者の能力又は経験に応じて支給するもの →能力又は経験が同じであれば同一の基本給、一定の相違があれ

　　　　ばその相違に応じた基本給
　　(2) 労働者の業績又は成果に応じて支給するもの
　　　→業績又は成果が同じであれば同一の基本給、一定の相違があれ
　　　　ばその相違に応じた基本給
　　(3) 勤続年数に応じて支給するもの
　　　→勤続年数が同じであれば同一の基本給、一定の相違があればそ
　　　　の相違に応じた基本給
　　(4) 昇給
　　　→能力の向上に応じて行うものについては、能力が向上した労働
　　　　者に対しては同じ昇給
2　賞与
　　会社の業績等への労働者の貢献に応じて支給するもの
　　　→同一の貢献であれば同一の賞与、一定の相違があればその相違
　　　　に応じた賞与
3　手当
　　(1) 役職手当
　　　→同一の役職であれば同一の手当、一定の相違があればその相違
　　　　に応じた手当
　　(2) 時間外手当、休日手当
　　　→同一の割増率等の手当
　　(3) 通勤手当
　　　→同一の通勤手当
4　病気休職
　　労働契約が終了するまでの期間を踏まえた病気休職
5　休暇（法定外の有給の休暇その他の法定外の休暇）
　　勤続期間に応じて取得を認めているものについては、同一の勤続
期間であれば同一の休暇（慶弔休暇を除く）

均衡待遇・均等待遇違反の判断手順

```
┌─────────────────────────────────────────┐
│ Ⅰ 契約期間・労働時間の観点から社員の属性を確認 │
│   短時間・有期雇用労働者の存在の有無          │
└─────────────────────────────────────────┘
        │(いる場合)              │(いない場合)
        ▼                        ▼
┌─────────────────────────┐  ┌──────────────┐
│ Ⅱ 通常の労働者と比較       │  │ 問題とならない │
│ ①職務の内容②職務の内容・   │  └──────────────┘
│ 配置の変更の範囲の相違     │
└─────────────────────────┘
    │(①または②が異なる場合)   │(①②とも同じ)
    ▼                         ▼
┌──────────────────┐  ┌──────────────────┐
│ Ⅲ-1 均衡待遇の対象者│  │ Ⅲ-2 均等待遇の対象者│
│ 待遇差の内容が不合理か│  │ 待遇差の有無        │
│ (Q9参照)           │  │                   │
└──────────────────┘  └──────────────────┘
  │(不合理) │(合理的)    │(あり)   │(なし)
  ▼         ▼           ▼         ▼
┌────────┐┌──────────┐┌────────┐┌──────────┐
│待遇差是正││問題と    ││待遇差是正││問題と    │
│が必要   ││ならない  ││が必要   ││ならない  │
└────────┘└──────────┘└────────┘└──────────┘
```

有期契約社員と正社員の労働条件の相違が不合理なものかどうかについて判例はどのように判断していますか。

解説

1 最高裁判例の判断の手法

　有期契約社員と正社員との待遇の相違が不合理な場合、パートタイム・有期雇用労働法8条（改正前の労働契約法20条）違反となり、会社は有期契約社員に対し不法行為に基づく損害賠償責任を負います。

　そして、有期契約社員と正社員との待遇の相違が不合理なものかどうかについて、最高裁は以下の手法で判断していると解されます。

(1) **有期契約社員と正社員との間で相違が認められる待遇（賃金項目等）について、個々の会社で当該待遇が設けられた趣旨（賃金の性質や支給目的）を特定する**

　待遇（賃金項目等）ごとにその性質やこれを支給することとされた目的が何かを特定します。同じ名称の賃金項目であっても、会社が採用する制度の内容によって賃金の性質や支給目的が異なりますので、会社ごとの個別検討が必要です。

　たとえば、賞与について、支給の有無や支給基準を会社が裁量によって決定することとされている場合には、会社の裁量が大きいので相違の合理性が肯定されやすいのに対して、業績に連動して一定の賞与を支払うこととされている場合には、会社の裁量は小さいので相違の合理性が否定されやすいといえます。また、賞与が、正社員としての職務を遂行し得る人材の確保やその定着を図る目的で支給されている場合には、有期契約社員についてはその目的が妥当しないため相違の合理性が肯定されやすいといえます。

(2) 有期契約社員と正社員との間に、「業務の内容及び当該業務に伴う責任の程度」、「職務の内容及び配置の変更の範囲」および「その他の事情」における相違の有無・内容を特定する

パートタイム・有期雇用労働法8条は、有期契約社員と正社員の労働条件の相違が不合理なものかどうかを判断する際、「業務の内容及び当該業務に伴う責任の程度（＝職務の内容）」、「職務の内容及び配置の変更の範囲」および「その他の事情」の3つの要素（以下、本設問において「三要素」といいます）を考慮すべきと規定していますので、三要素に該当する具体的事情を特定する必要があります。

この際注意しなければならないのは、考慮すべき具体的事情は、あくまで「当該待遇の性質及び当該待遇を行う目的に照らして適切と認められるもの」（パートタイム・有期雇用労働法8条）に限られるということです。

たとえば、問題となっている待遇が業績や成果に応じて支給額が決定される性質の賃金（たとえば、基本給等）の場合には、職務の内容の相違は重要な考慮要素になります。これに対して、問題となっている待遇が通勤手当や家族手当の場合には、これらの賃金は職務の内容と無関係の趣旨で支給されるのが通常ですので、職務の内容は考慮すべき事情には該当しないことが多いと思われます。

三要素に該当し得る具体的事情の例

	具体的にどのような事情を考慮するのか？
業務の内容	担当業務の種類、難易度
責任の程度	業務に伴って与えられている権限の範囲 管理する部下の人数、決裁権限の範囲 成果への期待度 急な残業や出勤を命じられるかどうか

	トラブル発生時の対応が求められるかどうか
職務の内容の変更の範囲	将来、会社の中核を担う人材として登用される可能性があるかどうか
配置の変更の範囲	出向を含む全国規模の広域異動の可能性があるかどうか
その他の事情	有期契約労働者が定年退職後に再雇用された者であること 正社員登用制度の有無 労使慣行、労使交渉の経緯

※　平成 26 年 7 月 24 日基発 0724 第 2 号

(3) 待遇の相違の内容・程度を特定する

　ある待遇に関して相違がある場合であっても、相違の内容や程度によって、合理性の判断は異なります。

　たとえば、病気休暇の有無や日数に有期契約社員と正社員との間に相違がある場合、当該病気休暇が有給である場合は、無給の場合に比べて、合理性判断は厳格になされることになります。また、例えば、基本給の相違であっても、その相違が 10 パーセントの場合と 70 パーセントの場合とで判断が異なることは当然です。

(4) 待遇の相違が不合理かどうかを判断する

　最後に、待遇の相違が不合理かどうかを判断します。具体的には、上記(1)（待遇の趣旨）に照らし、上記(3)のような待遇の相違を設けることが不合理と評価できるかどうかを、上記(2)の三要素を考慮して判断します。

判例の傾向

労働条件 （賃金項目）	権利の性質	支給目的	判断の傾向
賞与	・支給の有無や支給基準を会社が裁量で決定する制度（相違の合理性を肯定する根拠） ・業績に連動して支払う制度（相違の合理性を否定する根拠）	正職員としての職務を遂行し得る人材の確保やその定着を図る目的（相違の合理性を肯定する根拠）	賞与の支給について会社に裁量が認められる場合には、相違の合理性が否定される事案は稀である
退職金	退職金制度の構築に関しては、会社の裁量判断を尊重する余地が比較的大きい（相違の合理性を肯定する根拠）	正職員としての職務を遂行し得る人材の確保やその定着を図る目的（相違の合理性を肯定する根拠）	相違の合理性が否定される事案は稀である
病気休暇（有給） 扶養手当		継続的な雇用を確保するという目的	実体として雇用に相応の継続性が認められる場合には相違は不合理である
通勤手当		通勤に要する交通費を補塡する趣旨で支給されるもの	相違は不合理である

| 役職手当 | 役職者であることに対して支給されるものである | | 役職の有無によって相違を設けることは合理的である |

2 最近の最高裁判例

(1) ハマキョウレックス事件（最判平成30年6月1日民集72巻2号88頁）

① 三要素
「職務の内容」は同じ。
「職務の内容及び配置の変更の範囲」は異なる。正社員は、全国規模の広域異動の可能性があるほか、等級役職制度が設けられており、職務遂行能力に見合う等級役職への格付けを通じて、将来、会社の中核を担う人材として登用される可能性があるのに対し、有期契約社員は、就業場所の変更や出向は予定されておらず、将来、そのような人材として登用されることも予定されていない。
② 判旨

賃金項目	結論	理由
住宅手当	不合理ではない	正社員については、転居を伴う配転が予定されているため、契約社員と比較して住宅に要する費用が多額となりうる
皆勤手当	不合理	運送業務を円滑に進めるには実際に出勤するトラック運転手を一定数確保する必要があることから皆勤を奨励する趣旨であり、これは有期契約社員にも妥当する

無事故手当	不合理	優良ドライバーの育成や安全な輸送による顧客の信頼の獲得する趣旨であり、これは有期契約社員にも妥当する
作業手当	不合理	特定の作業に対する金銭的評価であり、同じ作業をしている有期契約社員に対して相違を設ける合理性はない
給食手当	不合理	従業員の食事に係る補助の趣旨であり、これは有期契約社員にも妥当する
通勤手当	不合理	通勤に要する交通費の補塡であり、これは有期契約社員にも妥当する

(2) **長澤運輸事件（最判平成30年6月1日民集72巻2号202頁）**

① 三要素

「職務の内容」、「職務の内容及び配置の変更の範囲」は同じ。「その他の事情」として、有期契約社員が定年退職後に再雇用された者であるという事情あり。

② 判旨

賃金項目	結論	理由
能率給・職務給	不合理ではない	・嘱託乗務員の基本賃金および歩合給が、正社員の基本給、能率給および職務給に対応するものであるところ、それらの相違は約12パーセントにとどまっている ・嘱託乗務員は定年退職後に再雇用された者であり、一定の要件を満たせば老齢厚生年金の支給を受けることができる

精勤手当	不合理	1日も欠かさずに出勤することを奨励する趣旨であり、これは有期契約社員にも妥当する
住居手当 家族手当	不合理ではない	・福利厚生および生活保障の一環。労働者の生活に関する諸事情を考慮して決定されるべきもの ・幅広い世代の労働者が存在し得る正社員と正社員として勤続した後に定年退職した者との違い
役付手当	不合理ではない	正社員の中から指定された役付者であることに対して支払われるもの
賞与	不合理ではない	・労務の対価の後払い、功労報償、生活費の補助、労働者の意欲向上等といった多様な趣旨を含みうる ・定年退職後に再雇用された者であり、定年退職に当たり退職金の支給を受けるほか、老齢厚生年金の支給を受ける

(3) 大阪医科薬科大学事件（最判令和2年10月13日裁時1753号4頁）

① 三要素

「職務の内容」、「職務の内容及び配置の変更の範囲」が異なる。「その他の事情」として正社員登用制度が設けられているという事情あり。

② 判旨

賃金項目	結論	理由
賞与	不合理ではない	・給与規則において必要と認めたときに支給すると定められているのみであり、その都度、使用者により支給の有無や支給基準が決定されるもの ・通年で基本給の4.6か月分が一応の支給基準となっており、業績に連動するものではなく、算定期間における労務の対価の後払いや一律の功労報償、将来の労働意欲の向上等の趣旨を含むもの ・正職員の基本給については、勤務成績を踏まえ勤務年数に応じて昇給するものとされており、勤続年数に伴う職務遂行能力の向上に応じた職能給の性格を有するものといえるうえ、おおむね、業務の内容の難度や責任の程度が高く、人材の育成や活用を目的とした人事異動が行われていたものである。このような正職員の賃金体系や求められる職務遂行能力および責任の程度等に照らせば、正職員としての職務を遂行しうる人材の確保やその定着を図るなどの目的から、正職員に対して賞与を支給することとしたものといえる

私傷病により欠勤中の賃金	不合理ではない	正職員が長期にわたり継続して就労し、または将来にわたって継続して就労することが期待されることに照らし、正職員の生活保障を図るとともに、その雇用を維持し確保するという目的によるものであり、これは有期契約社員にも妥当する

(4) メトロコマース事件（最判令和2年10月13日裁時1753号7頁）

① 三要素

「職務の内容」、「職務の内容及び配置の変更の範囲」が異なる。「その他の事情」として正社員登用制度が設けられているという事情あり。

② 判旨

賃金項目	結論	理由
退職金	不合理ではない	退職金は、職務遂行能力や責任の程度等を踏まえた労務の対価の後払いや継続的な勤務等に対する功労報償等の複合的な性質を有するものであり、正社員としての職務を遂行しうる人材の確保やその定着を図るなどの目的から、様々な部署等で継続的に就労することが期待される正社員に対し退職金を支給することとしたもの

(5) 日本郵便事件（最判令和2年10月15日裁時1754号1頁）

① 三要素

「職務の内容」、「職務の内容及び配置の変更の範囲」が異なる。

② 判旨

賃金項目	結論	理由
扶養手当	不合理	扶養手当が支給されているのは、正社員が長期にわたり継続して勤務することが期待されることから、その生活保障や福利厚生を図り、扶養親族のある者の生活設計等を容易にさせることを通じて、その継続的な雇用を確保するという目的によるもの。有期契約社員についても、扶養親族があり、かつ、相応に継続的な勤務が見込まれるのであれば、扶養手当を支給することとした趣旨は妥当する
夏期冬期休暇	不合理	夏期冬期休暇が与えられているのは、年次有給休暇や病気休暇等とは別に、労働から離れる機会を与えることにより、心身の回復を図るという目的であり、この趣旨は有期契約社員にも妥当する
年末年始勤務手当	不合理	最繁忙期であり、多くの労働者が休日として過ごしている上記の期間において、同業務に従事したことに対し、その勤務の特殊性から基本給に加えて支給される対価としての性質を有するものであり、この趣旨は有期契約社員にも妥当する

有給の病気休暇	不合理	私傷病により勤務することができなくなった郵便の業務を担当する正社員に対して有給の病気休暇が与えられているのは、上記正社員が長期にわたり継続して勤務することが期待されることから、その生活保障を図り、私傷病の療養に専念させることを通じて、その継続的な雇用を確保するという目的によるもの。契約社員についても、相応に継続的な勤務が見込まれるのであれば、私傷病による有給の病気休暇を与えることとした趣旨は妥当する

Ⅲ 在宅勤務

Q10 在宅勤務は実施しなければならないものなのでしょうか。実施するかどうかどのように判断すればよいのでしょうか。

解説

　在宅勤務とは、就業場所を自宅とする勤務形態です。情報通信技術を活用することが多いため、テレワークの一種として分類されています。

　在宅勤務は法律上強制されているものではありませんので、在宅勤務を導入するかどうかは企業がその裁量で自由に決めることができます。

　在宅勤務を実施するメリットとデメリットは各企業によって異なりますので、結局のところ、各企業がメリットとデメリットを具体的に比較衡量して導入の可否を決めるしかありません。

　在宅勤務のメリットは、コロナ禍以前には、「仕事の生産性・効率性が向上する」、「通勤時間の短縮化」、「顧客サービスが向上する」、「ストレスが減り心のゆとりが持てる」、「家族とコミュニケーションがとれる」などがあげられていました。これに対して、コロナ禍以降は、コロナの蔓延防止が主たる目的になっています。厚生労働省の「テレワーク総合ポータルサイト」に有益な情報が掲載されていますので、テレワークの導入を検討する際には参照してください。

在宅勤務のメリットとデメリット

メリット	デメリット
仕事の生産性・効率性が向上する	仕事の生産性が低下する（コロナ禍）
通勤時間の短縮化	労働時間・職務の管理が困難
コロナの蔓延を防止	ストレスが蓄積（コロナ禍）
家族とコミュニケーションがとれる	生活リズムがくずれる

Q11 在宅勤務を導入する場合、将来の人事労務紛争を予防する観点から特に注意すべき点を教えてください。

解説

1 労働関係法の適用がある

在宅勤務であっても、労働者（使用者の指揮命令下のもとに労務を提供し、賃金が支払われる者）については、労働契約法、労働基準法、最低賃金法、労働安全衛生法、労働者災害補償保険法等の労働関係法が適用されます。

したがって、これらの労働関係法を遵守すべきことは、事業場での勤務の場合と同じです。

在宅勤務を導入する際に検討すべき事項については、厚生労働省策定の「情報通信技術を利用した事業場外勤務の適正な導入及び実施のためのガイドライン」（以下、本章において、「テレワークガイドライン」といいます）を参考にしてください。

2 在宅勤務を導入する際の制度設計の視点（将来の紛争を予防する観点から）

在宅勤務を実施するに際して企業が事前に予想したメリット・デメリットがそのとおりになるかどうかは、実際に運用してみなければわかりません。また、コロナ蔓延の防止目的で在宅勤務を行う場合には、いつまで、どのような内容の在宅勤務を続けるのか、その判断を臨機応変に行わなければなりません。

したがって、いつ、誰にどのような在宅勤務をさせ、もしくは在宅勤務を取りやめさせるかについて、すべて企業の裁量的判断で行うことができるような制度にしておくのが望ましいでしょう。もち

ろん、その際には、従業員間で不合理な差別になることがないように注意する必要があります。

3　将来の人事労務紛争を予防する観点から特に注意すべき点

　テレワークは、就業の場所を自宅とする他は事業場での勤務と異なりませんが、勤務場所が自宅に変わることにより、事業場での勤務とは異なる人事労務管理をしなければなりません。

　人事労務に関する紛争を予防するといった観点から特に重要なのは、以下の3つの項目です。

　①　労働時間の把握・管理の問題（Q12を参照）
　②　メンタルヘルスの問題（その原因としてのハラスメント）（Q13を参照）
　③　機密情報管理の問題（Q14を参照）

Ⅲ　在宅勤務

Q12 在宅勤務における労働時間の把握・管理について注意すべき点を教えてください。

解説

1　労働時間の把握

　会社は労働者の労働時間を把握する義務があり、またその把握の仕方については「労働時間の適正な把握のために使用者が講ずべき措置に関するガイドライン」を遵守する必要があります。在宅勤務時を導入した場合でも、このことに変わりはありません。労働時間を把握する義務については、第11章Q9を参照してください。

　もっとも、在宅勤務の場合、身近で労働時間を把握・管理することができないため、労働時間の管理・把握について工夫が必要です。

　具体的な方法としては、始業・終業の際に人事労務管理者等にメールや電話で連絡する方法がありますが、従業員の人数が多い場合には、勤怠管理ツール・システムを利用した方が便利です。

2　事業場外みなし労働時間制の導入

　在宅勤務に関しては、労働時間の把握が困難な場合が少なくないことから、事業場外みなし労働時間制の導入を検討する会社が少なくないようです。しかし、在宅勤務時に事業場外みなし労働時間制を導入する場合には、以下の条件をすべて満たす必要があります。

在宅勤務時に事業場外みなし労働時間制の導入が認められるための要件

① 当該業務が、起居寝食等私生活を営む自宅で行われること
② 当該情報通信機器が、使用者の指示により常時通信可能な状態におくこととされていないこと
③ 当該業務が、随時使用者の具体的な指示に基づいて行われていないこと

3 在宅勤務で生じやすい事象

(1) いわゆる中抜け時間

在宅勤務に際しては、従業員が業務から離れる時間（いわゆる中抜け時間）が生じやすいと考えられます。中抜け時間について、労働者が労働から離れ、自由に利用することが保障されている場合には、その開始と終了の時間を報告させる等により、休憩時間として扱い、始業時刻の繰上げまたは終業時刻を繰下げ（ただし、就業規則に定めが必要）をしたり、その時間を時間単位の年次有給休暇として取り扱うこと（ただし、時間単位の年次有給休暇に関して労使協定が必要）が可能です。

(2) 時間外残業

在宅勤務の場合、会社の直接の管理が及ばないことから、労働者によっては、担当する業務量の割に時間外残業が増えてしまうことがあります。このような事象を防止するためには、残業禁止制度あるいは残業許可制度が有益です。ただし、残業禁止命令や残業許可制を導入しても、実態がこれと異なる場合には、時間外労働として認定されてしまいます。

残業禁止命令を出す際の注意点

① 時間内で終わる適度の業務量であること
② 命令に反する残業が常態化していないこと

　在宅勤務の労働時間管理に関して、テレワークガイドラインで指摘されている注意事項は以下のとおりです。

労働時間に該当しないための要件について

時間外等に労働することについて、使用者から強制されたり、義務づけられたりした事実がないこと
当該労働者の当日の業務量が過大である場合や期限の設定が不適切である場合等、時間外等に労働せざるを得ないような使用者からの黙示の指揮命令があったと解しうる事情がないこと
時間外等に当該労働者からメールが送信されていたり、時間外等に労働しなければ生み出し得ないような成果物が提出されたりしている等、時間外等に労働を行ったことが客観的に推測できるような事実がなく、使用者が時間外等の労働を知り得なかったこと

事前許可制および事後報告制の適正な運用について

労働者からの事前の申告に上限時間が設けられていたり、労働者が実績どおりに申告しないよう使用者から働きかけや圧力があったりする等、当該事業場における事前許可制が実態を反映していないと解し得る事情がないこと
時間外等に業務を行った実績について、当該労働者からの事後の報告に上限時間が設けられていたり、労働者が実績どおりに報告しないように使用者から働きかけや圧力があったりする等、当該事業場における事後報告制が実態を反映していないと解し得る事情がないこと

Q13 在宅勤務の労働者の健康確保のためにどのような措置が必要ですか。

解説

1 労働安全衛生法の適用がある

在宅勤務についても、事業場での勤務と同様、労働安全衛生法等に基づき、過重労働対策やメンタルヘルス対策を含む健康確保のための措置を講じる必要があります。

なお、労働契約に基づいて事業主の支配下にあることによって生じたテレワークにおける災害は、業務上の災害として労災保険給付の対象となります。

労働安全衛生法上の健康管理措置の例

①必要な健康診断とその結果等を受けた措置（労働安全衛生法66条から66条の7まで）
②長時間労働者に対する医師による面接指導とその結果等を受けた措置（同法66条の8および66条の9）および面接指導の適切な実施のための時間外・休日労働時間の算定と産業医への情報提供（労働安全衛生規則52条の2）
③ストレスチェックとその結果等を受けた措置（労働安全衛生法66条の10）

2 メンタルヘルスへの配慮

コロナ蔓延を避けるためにやむを得ず在宅勤務を導入した会社においては、在宅勤務が従業員のストレス増大の原因になってしまっていることが少なくありません。相談する相手がいないため不安に

なったり（コミュニケーション不足）、仕事時間があいまいになって生活リズムが乱れること（長時間労働）で、事業場での勤務よりもストレスが増大してしまっているのです。さらに、このストレスに起因してメンタル不調の問題が増加しています。

　そのため、在宅勤務においては、事業場での勤務以上に意識的に従業員のメンタルヘルスケアのための施策を講ずることが重要です。実際に企業が行っている施策としては、①相談窓口の設置、②朝礼・夕礼等の実施、③アンケートによる聞き取りの実施、④オンラインによる社内イベント、⑤管理職向けの研修などがあります。

　また、ストレス解消方法として「雑談」が重要であるとの調査結果が出ています。意識的に「雑談」の機会を設けるような工夫（チャットを利用する等）を検討する必要があるようです。

　テレワークガイドラインでは、事業者は、事業場におけるメンタルヘルス対策に関する計画である「心の健康づくり計画」を策定することとしており（労働者の心の健康の保持増進のための指針〔平成18年公示第3号〕）、当該計画において、テレワークを行う労働者に対するメンタルヘルス対策についても衛生委員会等で調査審議のうえで記載し、これに基づき取り組むことが望ましいとされています。

> **Q14** 在宅勤務にあたってはこれまで企業の内部で保管していた営業秘密に該当する秘密情報の管理について注意すべき点を教えてください。

解説

1 機密情報の整理

在宅勤務の場合、会社の機密情報を自宅で取り扱う機会が多いため、情報漏洩のリスクが高くなります。そのため、情報の管理についてより一層の注意が必要になります。

この点、経済産業省知的財産政策室策定の「テレワーク時における秘密情報管理のポイント（Q＆A解説）」および総務省「テレワークセキュリティガイドライン第4版」が参考になります。

2 情報の持ち出し・管理のルールを決める

(1) 秘密として管理しようとする情報の範囲を明確にする

営業秘密管理規程や情報取扱規程、セキュリティ規程等で明確化してください。

(2) 情報に対する従業員の予見可能性を確保するために、どのような措置（秘密管理措置）を実施するか明確にする

情報の性質に応じて適切なアクセス権者の設定、秘密情報が含まれる媒体への「㊙」・「社内限り」といった秘密であることの表示の付記、ID・パスワードの設定等の措置（各種情報取扱規程等におけるルールの設定状況および実施状況）が考えられます。

(3) 秘密情報を社外への持ち出す場合やコピーする場合のルールを定める

具体的には、持出しを認める書類やデータを厳選する。持出しにあたって上長等の事前許可を必要とする、持出しをした者・書類・期間を一覧で管理する、業務上の必要がなくなった場合には返却を義務づける等の方法が考えられます。

また、社用 PC に USB やスマートフォンを接続できないようにする設定、コピー防止用紙やコピーガード付きの記録媒体等の利用、プリントアウトの制限等が考えられます。

3 ルールを従業員に周知徹底するとともに、違反した場合の制裁についても説明する

情報の持ち出し・管理のルールを決めた後、それを従業員に周知徹底することが重要です。

その際には、情報の不正な持出しをした場合には、重い懲戒処分の対象となること（懲戒処分の規定の整備が必要なことについて第7章Q1を参照してください）、不正競争防止法違反や不正アクセス禁止法違反に該当し刑事罰を受ける可能性があることなどを説明してください。さらに、情報の持ち出し・管理のルールに違反しない旨の誓約書を個別に取得するのも効果的です。

4 セキュリティ対策を実施する

保存をする勤務先貸与端末機器には勤務先所定のウイルス対策ソフトのインストールを徹底する等十分なセキュリティ対策を行ってください。仮に、私物のパソコンを利用する際には、ウイルス対策ソフトをインストールしていることを確認してください。

第13章

団体交渉

I 労働組合

> **Q1** 当社には当社の従業員のみで組織する労働組合があります。それ以外の組合は労働組合法の適用を受けますか。

解説

　労働組合は労働者複数人が集えば自由に結成することが可能です。行政機関の認可や届出等も不要です。

　特定の会社の従業員のみで組織する組合を企業組合といいますが、労働組合法の適用を受ける労働組合は企業組合に限定されるものではありません。

　最近は、一定の地域に働く労働者を合同して組織化した組合が増加し、労働者の駆け込み寺的な活動をしています。これらの組合は、地域労組（合同労組、コミュニティユニオン）等と称されています。これらの地域労組も労働組合法の適用を受ける労働組合です。

Q2 不当労働行為とはどのような行為ですか。会社が不当労働行為をした場合、どのような制裁を受けるのですか。

解説

1 不当労働行為

不当労働行為とは、労働組合の活動を保障するために、労働組合法によって、会社が行うことを禁止されている行為の総称です。具体的には、以下の行為が禁止されています（労働組合法7条）。

① 労働組合への加入や正当な労働組合活動（争議行為）等を理由に解雇や降格、給料の引下げ、嫌がらせ等の不利益な取扱いをすること（ただし、スト時間分の賃金をカットすること、ストに対するロックアウト等は不利益な取扱いにはなりません）

② 正当な理由のない団体交渉の拒否（労働組合からの団体交渉申入れには、拒否する正当な理由がある場合を除き、応じなければなりません）

③ 労働組合の結成や運営に対する支配や介入、組合運営経費の援助（従業員の組合結成・加入や組合活動を妨害する言動等が該当します）

　団体交渉要求があるのに、組合の頭越しに当事者と話をするのは団体交渉拒否であり、支配介入の不当労働行為になる可能性があります。

④ 労働者が労働委員会に救済を申し立てたり、労働委員会での発言や証拠提出をしたことを理由に不利益な取扱いをすること

2 不当労働行為を行うとどうなるか？

会社から不当労働行為を受けたときは、労働組合または労働者は

都道府県労働委員会に救済を求めることができます（労働組合法27条）。

労働委員会の救済命令では、たとえば、「会社は、団体交渉に誠実に応ずること」等が命ぜられます。

都道府県労働委員会の発した命令に不服がある当事者は、中央労働委員会に再審査の申立てをしたり、地方裁判所に命令の取消しを求める行政訴訟（取消訴訟）を提起することができます。

会社が確定した救済命令に従わない場合には、過料（50万円＋不履行のまま5日間を超過した場合には、超過日数×10万円）の制裁を受けます（労働組合法32条）。また、取消訴訟の結果、救済命令を指示する確定判決が下されたにもかかわらず、会社が命令に従わない場合には、その行為をした者は、1年以下の禁錮もしくは100万円以下の罰金を科されることになります（労働組合法28条）。

※　労働委員会は、不当労働行為、ストライキ等の労働争議といった労使（労働者・労働組合）と会社の紛争を解決するために設けられた公平な第三者機関です。各都道府県の機関である都道府県労働委員会、国の機関である「中央労働委員会」が設けられています。

　労働委員会では、当事者からの申立てを受けて、不当労働行為があった場合に救済命令を発したり、労働争議の解決のため「あっせん」「調停」「仲裁」の3種の調整を行っています。

　そのほか、労働者個人と会社の間での労働条件等労働問題に関する争いを解決するための「個別労働紛争のあっせん」も行っています。

Ⅱ 団体交渉

Q3 会社に○○ユニオンの執行委員と称する人がやってきて、「貴社の従業員Aが当組合に加入した。団体交渉を申し入れる」と告げられ、同時に、組合加入通知書兼団体交渉申入書を交付されました。どのように対応すべきですか。

解説

1 団体交渉の申入れに対する心構え

近時、従業員が地域労組に駆け込む事案が非常に増えています。地域労組から団体交渉の申入れがなされた場合に、あせって初動対応を間違えてしまうと、不当労働行為（Q2を参照してください）等の問題を生じかねませんので、冷静かつ慎重に対応してください。

通常は、以下のとおり対応します

2 まずは、「検討のうえ返答する」と回答

Q1で解説したとおり、特定の会社の従業員のみで組織された企業組合ではない地域労組（合同労組、コミュニティユニオン）であっても労働組合法の適用を受ける労働組合です。したがって、企業組合ではないということだけを理由に団体交渉を拒否することはできません。

突然の団体交渉申入れに対しては、「検討のうえ返答する」とだけ回答してください。

3 団体交渉に応ずるかどうかの検討

従業員が当該労働組合に加入し、かつ、「当該従業員の待遇ないし労働条件と密接に関連性を有する事項」である限り、団体交渉に応ずる義務を負いますので、ほとんどの場合には団体交渉に応ずることになります。

会社が、団体交渉義務を負う相手方は、「使用者が雇用する者の代表者」(労働組合法7条2号) です。そうすると、解雇した従業員は雇用していませんので、団体交渉義務を負う相手方に該当しないようにも思われますが、解雇した従業員がその無効を主張している場合には「雇用する者」に該当すると解されていますので (東京高判昭和57年10月7日労判406号69頁)、会社は団体交渉を拒否することはできません。

4 団体交渉申入書に対する回答

団体交渉申入書に対して書面で回答をします。回答書には、以下の事項を記載します。

(1) 団体交渉の場所

団体交渉の場所に決まりはありません。労働組合からは、組合事務所や会社の会議室を指定されることがありますが、これに応ずる必要はありません。

とくに、団体交渉の相手方が地域労組 (合同労組、コミュニティユニオン) の場合、社外の貸会議室で行った方がよいと思います。

(2) 団体交渉の開始時間、所要時間

団体交渉の時間 (開始時間、何時間行うか) に決まりはありません。

勤務時間中ですと、団体交渉に要した時間の賃金支払いについて紛争が生じる可能性がありますので、原則として勤務時間外の時間を指定してください。

　時間は2時間以内程度が目安です。

(3)　団体交渉の参加者

　1人で参加せず、複数で参加してください。決まりがあるわけではありませんが、3名程度で参加した方がよいと思います。

　労働組合から、社長の参加を求められることがありますが、これに応ずる必要はありません。ただし、団体交渉事項に関して決定権限を委任された者が最低1名参加する必要があります。

(4)　団体交渉の日程

　労働組合は団体交渉の日程や期限を指定してくることがありますが、これに応ずる必要はありません。事案についてきちんと検討できる期間を確保して、候補日を連絡してください。もっとも、むやみやたらに先延ばしにしようとしますと、誠実交渉義務違反になるおそれがあります。通常は、2週間程度先の日を指定します。

(5)　その他

　会社側の連絡窓口を通知したり組合側の参加人数を知らせるよう要求することがあります。

> **Q4** 団体交渉までの間にどのような準備をすればよいですか。

解説

1 組合から申入れされた団交事項が義務的団交事項か否かを検討

　団体交渉の日程が決まったら、それまでに組合から申入れがあった団体交渉事項の検討を行います。

　とはいっても、組合から申入れされた事項のすべてについて団体交渉の対象としなければならないわけではありません。

　会社が団体交渉を行わなければならないのは、当該組合に加入した「従業員の待遇ないし労働条件と密接に関連性を有する事項」(東京高判昭和34年12月23日労民集10巻6号1056頁)あるいは「労働条件その他の待遇、当該団体と使用者との間の団体的労使関係の運営に関する事項であって、使用者に処分可能なもの」です（東京高判平成19年7月31日労判946号58頁)。会社が団体交渉に応ずる義務を負う事項を義務的団交事項といいます。これに対して、会社が団体交渉に応ずるかどうかを会社が自由に決めることができる事項を任意的団交事項といいます。

　実務でよく問題となる事項としては、次のような事項があります。

団体交渉義務を負う事項と負わない事項

| 従業員の個別的な労働問題 | 使用者に処分可能なものは、団体交渉義務を負う（東京高判昭和57年10月7日労判406号69頁）。 |

非組合員である労働者の労働条件に関する問題	原則として団体交渉義務を負わない。 例外として当該労働条件が将来にわたり組合員の労働条件、権利等に影響を及ぼす可能性が大きく、組合員の労働条件とのかかわりが強い事項については、団体交渉義務を負う（東京高判平成19年7月31日労判946号58頁）。
経営に関する事項（役員等の人事、組織の変更）や生産に関する事項（生産の方法、生産場所の移転）	原則として団体交渉義務を負わない。 例外として労働条件その他の待遇にかかわる事項については団体交渉義務を負う。 たとえば、役員の年俸を下げろというような要求は団体交渉義務を負わないが、組織再編によって労働者の職場や担当業務が変更になる場合には団体交渉義務を負う。

　なお、実際には、団体交渉義務を負うか否か微妙な事項が少なくありませんが、団体交渉義務を負う事項であるにもかかわらず、団体交渉を拒絶すると誠実交渉義務違反（不当労働行為）に該当するため、迷った場合には団体交渉の対象として取り扱った方が無難でしょう。

2　想定問答の作成

　団体交渉義務を負う事項については、団体交渉期日の前に回答案と想定問答を作成します。想定問答は、予想される質問を幅広く用意して作成してください。また、労働関係法違反の言質をとることを目的とするような質問がなされることもありますので、労働関係法に照らして正しい回答案を用意してください。

> **Q5** 団体交渉のお作法を教えてください。

解説

1 参加者

団体交渉の参加者についてはQ3を参照してください。弁護士を同席してもかまいませんが、同席しなくても問題ありません。

2 録音

組合が録音する場合には、会社も録音することをおすすめします。組合が録音しない場合には、組合の同意をとったうえで録音してください。

3 団体交渉事項に関する質疑応答

① 団体交渉は、組合からの質疑がなされ、これに対して会社が回答するという順番で進んでいくのが通常です。

組合の質問に対しては、あらかじめ準備した想定問答をみながら回答してかまいません。

回答を準備していない質問に対しては「持ち帰って確認します」という回答でかまいませんが、当然想定されるはずの質問まで逐一持ち帰って検討するという対応は、誠実交渉義務に反し不当労働行為になるおそれがあります。

② 会社は誠実に団体交渉を行う義務を負います。誠実というのは、団体交渉事項について真摯に交渉することです。労働者の言い分に耳を傾けつつ、使用者側の主張をきちんと説明するように努めるのが最良の方法です。

③　法的に根拠のない要求を受け入れる必要はありません。たとえば、未払賃金の場合、消滅時効期間は当面は3年ですので、それより前の未払賃金を支払う法的義務を負いません。したがって、「就業期間全部の未払賃金を算定せよ」という要求があった場合には「消滅時効は3年ですので、直近3年の未払賃金の有無を検討します」などと回答してかまいません。

誠実交渉義務（東京地判平成元年9月22日判時1327号145頁）

> 使用者の団交応諾義務は、労働組合の要求に対し、これに応じたり譲歩したりする義務まで含むものではないが、要求に応じられないのであれば、その理由を十分説明し納得が得られるよう努力すべきである。

Q6 団体交渉で、不当な要求がなされた場合、どのように回答すればよいですか。

解説

　団体交渉では、法的に根拠のない不当な要求がなされることが少なくありません。不当な要求を受け入れるべきではありません。拒否してください。具体的には、以下のように回答します。

団体交渉での回答例

要求	回答例
社長を参加させるよう要求	「受諾しません。団体交渉事項について権限を有する○○が参加しております」
法的に団体交渉義務を負わない事項に関する交渉の要求	「団体交渉義務の事項ではありません。理由は○○です」
「ばかやろう」	「人格を非難するものです。そのような言動は謹んでください」
事前に連絡されていない事項についての質問	「この場ではお答えできません。持ち帰って検討します」
「要求を受け入れろ」	「会社はそのような法的な義務を負っていませんので、お断りします」
同じ質問を何度もする	同じ回答を何度もする
「ビラをまくぞ」	「誠実に協議をしておりますので、回答を変えることはできません」

Q7 団体交渉はどのような場合に打ち切ってもよいですか。

解説

　会社と組合の主張が対立し、いずれかの譲歩により交渉が進展する見込みはなく、団体交渉を継続する余地がなくなった場合には交渉を打ち切ってもかまいません（最判平成4年2月14日労判614号6頁）。

　たとえば、団体交渉事項について、同じやりとりが複数回重ねられた場合には、交渉行き詰まりによる交渉打切りを検討します。

　ただし、組合の納得を得ずにいきなり打ち切ってしまうと、不当労働行為と認定される可能性があります。そのため、同じやりとりが反復している団体交渉事項については、「この事項については前回の団体交渉で回答したとおりです。これ以上交渉を続けても合意に至ることはできないと考えますが、いかがでしょうか」などと述べて、団体交渉の打切りに向けて誘導してください。

Q8

組合が会社の前でのぼりをたててビラを配っています。どのように対応すればよいですか。取引先の周りでしつこく街宣活動をしている場合はどうですか。

解説

1 ビラ配り等の組合活動が違法となりうる場合

組合がビラを配ったり、のぼりをたてたりする行為のことを、組合活動といいます。

組合活動は、その手段や対応が正当なものである限り保護されますが、手段や対応次第では違法になる場合があります。組合活動が違法となりうる場合としては以下のような場合があります。

組合活動が違法となりうる場合

組合活動の手段	違法性の有無
ビラ貼り	態様次第で建造物損壊罪（最判昭和43年1月18日刑集22巻1号32頁）。
ビラまき	① 内容が明らかに虚偽で会社や役員の信用や社会的評価を低下させる場合は違法（最判平成4年3月3日労判609号10頁）。 ② 会社の敷地内に無断でビラをまいた場合には、その態様次第では会社の施設管理権を侵害し違法になる場合がある。
街宣活動	① 役員等の個人の私宅付近で行うことは違法（東京高判平成17年6月29日労判927号67頁）。 ② 取引先等で行う場合もその態様次第で違法になる場合がある（東京高判平成28年7月4日労判1149号16頁）。

| | ③ 会社付近で行う場合も、その内容や態様次第で違法になる場合がある（東京高判平成17年6月29日労判927号67頁）。 |

　会社の敷地外におけるビラまきやのぼりをたてる行為は、会社の施設管理権が及びませんので、原則として違法性の問題は生じませんが、ビラの内容が虚偽で会社や役員の信用や社会的評価を低下させる場合は違法となります。

　これに対して、会社の敷地内については、会社の施設管理権が及びますので、会社がかかる行為を禁止することは原則として自由です。ただし、一般従業員や他の団体に認めているような行為まで禁止すると施設管理権の濫用となります。

2　ビラ配りやのぼりをたてられたときの対応

　配られているビラを入手して、その内容を確認してください。内容が虚偽で会社の信用や社会的評価を害する内容が記載されている場合には、ビラの配布先にきちんとそのことを説明して誤解を解きます。

　会社の施設内においてビラまきやのぼりをたてた場合、会社の施設管理権に基づき当該行為を中止するように求めてください。

　組合の行動が違法である場合には、当該行為を行った従業員に対する懲戒処分と損害賠償請求を検討してください。

3　取引先に対して街宣活動をする場合

　組合が取引先に街宣活動をした場合でその態様において違法性があると認める場合には損害賠償請求を行う旨の警告をしてください。

　執拗にくりかえす場合には、法的措置（差止めの仮処分の申立て、損害賠償請求）を検討してください。

第14章

労働基準監督署への対応

I 労働基準監督署の権限

Q1 労働基準監督官に突然立入り調査を求められました。協力しなければならないのですか。

解説

　労働基準監督官は、会社が労働基準法等に違反していないか調査を行い（労働基準法101条1項・2項）、違反していた場合には、是正勧告をしたり、検察官送致をする権限（同法102条）を有しています。

　労働基準監督官は、上記調査として、①会社の事業場への立入り調査（「臨検」と呼ばれています。その際、帳簿や書類の提出、使用者および労働者への尋問ができます）、②必要な事項を報告させ、または出頭を命ずる権限を有しており、会社がこの協力を拒んだ場合は刑事罰を科せられることがあります（労働基準法120条4号）。

　したがって、労働基準監督官から立入り調査を求められた場合には、会社はこれに協力しなければなりません。

Ⅱ
労働基準監督署の調査への対応

Q2 労働基準監督署の調査はどのようなことがきっかけで実施されるのですか。調査の結果違反行為が発覚した場合にはどのようになるのですか。

解説

　労働基準監督署の調査は、①地域や業種別に行われる定期的な監督の場合、②従業員からの申告があった場合（労働基準法 104 条）および、③重大な労災事故が発生した場合に行われます。

　申告に基づく場合や重大な事故があった場合、調査は綿密かつ徹底的になされる傾向がありますので、より慎重に準備をする必要があります。

　調査の結果、違反行為が発覚した場合には、通常は、是正勧告がなされます（違反が重大・悪質な場合には是正勧告をすることなく検察官送致されることもあります）。是正勧告は、違反事項（たとえば、「時間外労働および深夜労働に対して、2 割 5 分以上の率で計算した割増賃金を支払っていないこと（全労働者に対し再計算を行い不足分を支払うこと）」等）と是正期日（たとえば、「令和○年○月○日」、「即時」等）が記載されています。是正勧告にもかかわらず是正しようとしない場合には検察官送致されるおそれがあります。

　他方で、法律違反とまでは認定できない場合であっても、通達や指針等に触れるような場合には、指導票が交付され、改善が命ぜられます。その後、実態調査や改善結果の報告が求められます。

Q3 労働基準監督署は定期監督でどのような事項を調査するのですか。

解説

定期監督の結果発覚した違反の内容（公表事例）から、労働基準監督署がどのような事項を調査しているのかがわかります。

1 労働基準法違反

違反事項	主な違反の内容
労働条件の明示（労働基準法15条）	労働者を雇い入れる際に、賃金額および支払方法ならびに所定労働時間等の法定事項について書面を交付していないもの。また、交付しているが、法定事項が不足しているもの。
労働時間（労働基準法32条）	時間外労働に関する協定（36協定）の締結・届出がないのに、労働者に法定労働時間を超えて時間外労働を行わせているもの。また、協定の締結・届出はあるが、協定で定めた時間外労働の限度時間を超えて時間外労働を行わせているもの。
時間外労働、深夜労働の割増賃金（労働基準法37条）	時間外労働を行わせているのに、法定の割増賃金（通常の賃金の2割5分以上）を支払っていないもの。平成22年4月1日から、大企業（業種により資本金または出資金の規模もしくは労働者数に応じて定められている）については、1か月60時間を超える残業時間に対しては50％以上の割増率。
就業規則の作成等（労働基準法89条）	常時使用する労働者が10人以上いるにもかかわらず、就業規則の作成・届出がないもの。

※ 以上のほかに、賃金不払い（労働基準法24条）、休憩（同法34条）、休日

(同法35条)の規定違反等が発覚しています。

2　労働安全衛生法違反

違反事項	主な違反の内容
安全衛生管理体制（労働安全衛生法10条～12条、15条、17条～19条）	常時使用する労働者が50人以上いるのに、衛生管理者を選任していないもの。
機械・設備等の危険防止措置に関する安全基準（労働安全衛生法20条～25条）	高さが2メートル以上の高所において、作業床の端に墜落防止のための手すりを設置することなく、作業を行わせていたもの等。
元方事業者等（労働安全衛生法30条、31条）	建設工事現場において、元請事業者の労働者および関係請負人の労働者の作業が同一の場所において行われることによって生ずる労働災害を防止するための協議組織の設置・運営等を行っていないもの。
健康診断（労働安全衛生法66条）	常時使用する労働者に対して、1年以内ごとに1回、定期健康診断を実施していないもの。

※　以上のほかに、作業主任者（労働安全衛生法14条）、定期自主検査（同法45条）、就業制限（同法61条）、作業環境測定（同法65条）の規定違反等が発覚しています。

Q4 是正勧告を守ることができません。どうすればよいですか。

解説

　是正勧告を受けた場合には、勧告に従って是正をするのが原則です。是正しない場合、検察官送致されるおそれがあるからです。

　どうしても完全に是正できない場合には、可能な限りの是正をして労働基準監督官に報告してください。そうすることで、一定期間の猶予をもらうことができたり、厳しい措置（検察官送致）を免れることができる可能性があります。

事項索引

あ 行

安全配慮義務 ……………………… 316, 317
依願退職 …………………………………… 286
育児・介護休業法 ……………………………… 5
一事不再理 ………………………………… 179
インターネット …………………………… 212
打切補償 …………………………………… 331
親会社の責任 ……………………………… 254

か 行

解雇予告 ……………………………………… 42
会社都合退職 ……………………………… 306
会社の施設管理権 ………………………… 391
街宣活動 …………………………………… 391
過労死 …………………… 314, 316, 317, 318, 321
管理監督者 ………………………………… 72
偽装請負 …………………………………… 334
義務的団交事項 …………………………… 384
休業 ………………………………… 273, 330
　──（一時帰休）…………………………… 74
休憩 ………………………………………… 54
休日 ………………………………………… 56
　──の振替 ……………………………… 57
求償請求 …………………………………… 224
休職 ………………………………… 262, 273
　──期間中の賃金 ……………………… 271
　──期間満了 …………………… 275, 278
　──命令 ………………… 258, 261, 262, 265
求人票 ……………………………………… 26
競業避止義務 ……………………………… 296
業務起因性 ………………………… 318, 321
業務上災害 ………………………… 311, 330
　──による休業 ………………………… 273
業務に関連する不法行為 ………………… 223
業務命令 …………………………………… 92
　──違反 ………………………………… 201

均衡待遇 …………………………………… 350
均等待遇 …………………………………… 350
勤務場所 …………………………………… 156
　──限定 ………………………………… 111
計画年休 …………………………………… 89
継続雇用 ………………………… 290, 295
　──制度 ………………………………… 292
契約更新 ………………………… 343, 349
経歴詐称 …………………………………… 198
経歴書 ……………………………………… 25
欠勤 ………………………………………… 195
減給 ………………………………………… 191
兼職の禁止 ………………………………… 212
けん責 ……………………………………… 189
降格 ……………………………… 119, 126, 128
合同労組 …………………………………… 378
個人情報 …………………………………… 25
固定残業代 ………………………………… 61
個別同意 ………………………… 134, 137
雇用機会均等法 ……………………………… 5
雇用契約書 …………………………………… 7
コロナ禍 ………………………… 75, 147, 365

さ 行

在宅勤務 ………………… 75, 365, 367, 372, 374
最低賃金 …………………………………… 58
最低賃金法 …………………………………… 5
採用内定 …………………………………… 31
　──通知書 ……………………………… 34
　──取消し ……………………………… 35
　──の取消し …………………………… 31
採用内々定 ………………………………… 33
三六協定 …………………………………… 47
残業禁止命令 ……………………………… 371
時間外手当 ………………… 61, 65, 71, 83
時間外労働 ………………………… 47, 51, 95
自己都合退職 ……………………………… 306

事実認定 …………………………………… 244
自主退職 …………………………………… 286
私傷病 ……………………………………… 163
　――休職 …………………………… 258, 273
　――報告書 …………………………… 310
辞職 ………………………………………… 286
私生活上の犯罪行為 ……………………… 209
自然退職 …………………………………… 275
自宅待機 …………………………………… 100
始末書 ………………………………… 95, 189
従業員の引抜き …………………………… 300
従業員の不法行為 ………………………… 219
就業規則 …………………………………… 8
　――の不利益変更 …………………… 135, 142
自由な意思による同意 …………………… 137
受診命令 …………………………………… 269
出勤停止 ………………………………… 100, 192
出向 ……………………………… 102, 114, 181
試用期間 …………………………… 37, 39, 42, 345
　――の途中での解雇 ………………… 42
　――目的で有期雇用契約を締結した
　　　場合 ……………………………… 345
上司に対する懲戒処分 …………………… 182
私用電話 …………………………………… 98
傷病手当金 ………………………………… 271
情報漏えい ………………………………… 212
賞与 ………………………………………… 86
職種 …………………………………… 156, 259
　――限定 ……………………………… 109, 275
職能資格制度 ……………………………… 126
職務・役割等級制度 ……………………… 128
職務軽減措置 ……………………………… 270
所持品検査 ………………………………… 95
人件費を減額する方法 …………………… 79
心理的負荷による精神障害の認定基準
　……………………………………… 318, 321
整理解雇 ……………………………… 171, 174
セクハラ ……………………………… 212, 236
是正勧告 ……………………………… 395, 398
総合推進法 ………………………………… 6

相殺 …………………………………… 70, 225

た行

代休 ………………………………………… 57
退職勧奨 …………………………………… 301
退職金 ………………………………… 304, 306, 307
　――の不支給条項 …………………… 307
逮捕・勾留 ………………………………… 219
団体交渉 …………… 379, 381, 384, 386, 388, 389
　――義務 ……………………………… 382, 384
　――の打切り ………………………… 389
地域労組 ……………………………… 378, 381
遅刻・早退 ………………………………… 193
懲戒解雇 ……………………………… 152, 307
懲戒処分 … 178, 181, 182, 183, 185, 188,
　　　189, 193, 195, 201, 205, 209, 212, 221,
　　　225
　――の告知 …………………………… 184
　――の選択 …………………………… 185
　――を公表 …………………………… 188
長時間労働 ………………………………… 326
長時間労働者に対する措置 ……………… 328
賃金 ………………………………………… 58
　――減額 ……………………………… 108, 146
　――の支払方法 ……………………… 66
通勤手当の不正取得 ……………………… 212
定期監督 …………………………………… 396
定期健康診断 ……………………………… 263
定年後継続雇用 …………………………… 291
定年制 ……………………………………… 289
定年退職 …………………………………… 289
　――後の再雇用 ……………………… 293
テレワーク ………………………………… 365
電子メール ………………………………… 98
転籍 …………………………………… 102, 114, 117
特別条項付き三六協定 …………………… 48
取消訴訟 …………………………………… 380

な行

入社誓約書 …………………………… 26, 28

は行

パートタイム 336
パートタイム・有期雇用労働法 5
配転命令 102, 108
ハラスメント ... 238, 241, 244, 249, 251, 255
────対策 238
パワハラ 212, 228, 232
犯罪行為 205
秘密情報の管理 374
ビラ配り 390
復職 278
復職の可否 275
不更新条項 343
普通解雇 ... 152, 155, 158, 159, 163, 165, 169, 332
────の手続 161
不当労働行為 379
不利益変更 137
弁明の機会 183
本採用拒否 38, 39, 42

ま行

未消化の年次有給休暇 89
身元保証書 26, 29
無期転換制度 347
メール 212
メンタルヘルス 372
持ち帰り残業 52

や行

役職・職位の引下げ 121
雇止め 338
有期契約 336, 338, 349, 350
────社員 343
────社員と正社員の労働条件の相違 350, 354
有期雇用契約 27
有給休暇 88

ら行

臨検 394
労災認定 274
労災保険 313
────給付 311
労働安全衛生法 5
労働関係法 4
労働基準監督官 394
労働基準監督署 395, 396
労働基準法 5
労働協約 9, 82, 135
労働組合 378
労働組合法 5
労働組合法28条 380
労働契約 2
労働契約書 7
労働契約法 4
労働災害 310
労働時間 46, 50, 71
────の状況 326
────の状況の把握（管理）... 327, 369
労働施策 6
労働者災害補償保険 313
労働者派遣法 6
労働条件 26, 27
────通知書 27
────の不利益変更 134, 141

わ行

割増賃金 59, 71

●著者略歴

佐藤　久文（さとう　ひさふみ）
弁護士（外苑法律事務所）
2000年に裁判官に任官し、2008年に退官。裁判官時代に労働集中部に在籍。

■主な著作
『早わかり！　ポスト働き方改革の人事労務管理』（日本加除出版、2019）（編著）、『訴訟弁護士入門——民事事件の受任から解決まで』（中央経済社、2018）（共著）、『訴訟の技能——会社訴訟・知財訴訟の現場から』（商事法務、2015）（共著）

■人事労務に関する近時の論文
「景気後退期において人件費削減を検討する際の労働関係法上の留意点」月刊監査役714号（2020年）、「民法改正とそれを契機とした労働基準法の改正が雇用契約の実務へ与える影響」NBL1169号（2020年）ほか

人事労務の法律問題　対応の指針と手順〔第2版〕

2018年10月10日　初　版第1刷発行
2021年4月30日　第2版第1刷発行

著　者　佐藤久文

発行者　石川雅規

発行所　㈱商事法務
〒103-0025　東京都中央区日本橋茅場町3-9-10
TEL 03-5614-5643・FAX 03-3664-8844〔営業〕
TEL 03-5614-5649〔編集〕
https://www.shojihomu.co.jp/

落丁・乱丁本はお取り替えいたします。
© 2021 Hisafumi Sato
Shojihomu Co., Ltd.
ISBN978-4-7857-2863-2

印刷／広研印刷㈱
Printed in Japan

＊定価はカバーに表示してあります。

JCOPY　＜出版者著作権管理機構　委託出版物＞
本書の無断複製は著作権法上での例外を除き禁じられています。複製される場合は、そのつど事前に、出版者著作権管理機構（電話03-5244-5088、FAX 03-5244-5089、e-mail: info@jcopy.or.jp）の許諾を得てください。